14 50

14 50

LES MACHINES

**Première publication en 1976
Usborne Publishing Ltd
83-85 Saffron Hill
London EC1N 8RT**
© **Usborne Publishing Ltd 1976**

© **1990 Usborne Publishing
Ltd pour le texte français.**

Imprimé en Belgique.

Tous droits réservés.
Réalisation de la version française:
Scorpio
14 bis, rue Berbier du Mets
75013 Paris

Nous souhaitons ici remercier les
sociétés et organismes suivants qui
ont bien voulu nous aider à vérifier
le contenu de cet ouvrage:

Agricultural Press
Alfa-Laval
American Hoist and Derrick
Atlas Copco
Blackwood Hodge
British Aircraft Corp.
British Hovercraft Corp.
British Petroleum
British Rail
BSP International Foundations
Chubb Fire Security
Comex John Brown
Cunard-Trafalgar
ERF
GEC Machines
Hawker Siddeley Aviation
Hovercraft Development
Ing. Alfred Schmidt GMBH
Interconair
Lockheed Aircraft
Lola Cars
Massey Ferguson
Mining Magazine
Ministère de la Défense
(Royaume Uni)
Société des Charbonnages
(Royaume Uni)
Orenstein & Koppel
Plant Hire Magazine
Railway Gazette International
RNLI
Shipping World & Shipbuilder
Simon Engineering
Office du Tourisme Helvétique
Tarmac Construction
Vickers Oceanics
Westland Helicopters
Winget

A propos de ce livre

Ce livre constitue une introduction au monde des machines et des moteurs. Vous pénétrerez au cœur d'un grand nombre de machines modernes grâce à deux questions simples: «Comment ça marche?» et «Que peut-on faire avec?». Vous y découvrirez des machines aussi différentes que celles qui participent aux travaux de la ferme, comme les moissonneuses-batteuses, ou qui permettent de travailler dans les mines comme les excavatrices. Vous comprendrez ce qui se passe sur une plate-forme pétrolière ou comment se déplace un hovercraft. Vous accompagnerez les astronautes d'Apollo dans leur voyage autour de la Lune. Vous observerez l'extraordinaire vie des grands fonds à partir d'un sous-marin miniature. Ce livre vous aidera donc à comprendre comment fonctionnent quelques-unes des machines les plus fascinantes de notre monde actuel.

LES MACHINES

Christopher Rawson

Illustrations Colin King
Traduction Jean-Jacques Schakmundès

Sommaire

Fusées et satellites

Les fusées ont besoin de moteurs extrêmement puissants pour s'élever dans l'espace car ils doivent s'arracher à la gravitation – force qui attire les objets vers le sol. Les fusées transportent les astronautes dans l'espace et y libèrent des satellites automatiques qui explorent les planètes du système solaire.

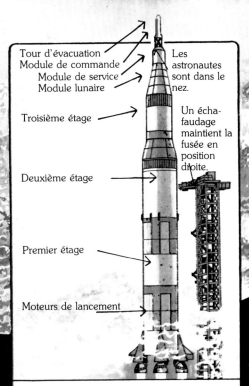

Tour d'évacuation
Module de commande
Module de service
Module lunaire

Les astronautes sont dans le nez.

Troisième étage

Un écha-faudage maintient la fusée en position droite.

Deuxième étage

Premier étage

Moteurs de lancement

Départ d'une fusée Saturne
La fusée géante au moment de la mise à feu. Les astronautes dans le nez de la fusée s'envolent de Cap Kennedy.

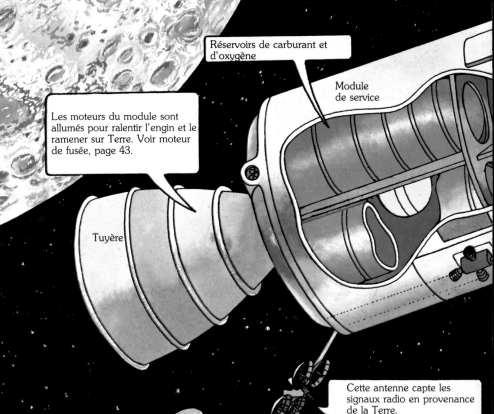

Réservoirs de carburant et d'oxygène

Module de service

Les moteurs du module sont allumés pour ralentir l'engin et le ramener sur Terre. Voir moteur de fusée, page 43.

Tuyère

Cette antenne capte les signaux radio en provenance de la Terre.

---

1 Viking

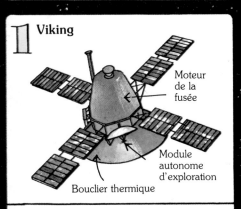

Moteur de la fusée

Module autonome d'exploration

Bouclier thermique

Ce vaisseau spatial fut lancé vers Mars en 1975. Le voyage dura près d'un an. A l'intérieur, protégé par le bouclier thermique, se trouvait un module d'exploration entièrement automatique.

2

Des caméras prennent des images en couleur de Mars

Bras auto-matique pour pré-lever des échantillons de sol martien.

Le vaisseau spatial lâcha le module pendant ses révolutions autour de Mars. Le module était équipé de caméras et d'instruments de mesure pour montrer aux savants la composition du sol de Mars.

Satellite météorologique

Ce type de satellite reste en orbite autour de la Terre pendant de nombreuses années. Ses caméras filment la surface de notre planète et avertissent des événements météorologiques (cyclones, tornades, etc.).

Les astronautes sortent du module lunaire par ce sas pour marcher sur la Lune.

Ses larges pieds empêchent le module de s'enfoncer dans le sol lunaire.

Ses tuyères permettent de contrôler l'alunissage du module et l'amarrage avec le module de commande.

Module de commande

Module lunaire

Cet astronaute passe dans le module lunaire par le tunnel d'amarrage.

Des jets de gaz permettent de diriger le vaisseau spatial.

Le module lunaire a quatre pieds qui se déploient pour alunir.

Apollo

Ce vaisseau spatial américain a transporté les premiers hommes sur la Lune. L'un d'eux est resté en orbite autour de la Lune dans le module de commande. Les deux autres sont passés dans le module lunaire qui les a descendus sur le sol lunaire où ils firent de nombreuses expériences et d'où ils rapportèrent des échantillons rocheux.

Station orbitale Salyut

Cette station soviétique fut mise en orbite autour de la Terre en 1974. Les astronautes y travaillaient durant plusieurs semaines.

Des panneaux solaires fournissent l'électricité qui actionne les machines de la station.

Un vaisseau arrive de la Terre.

Station orbitale

Le vaisseau spatial s'amarre à la station orbitale.

Les astronautes rampent dans ce tunnel jusque dans la station.

Retour sur Terre

1 Le module lunaire allume ses fusées. La partie supérieure se sépare du socle qui reste sur la Lune.

Surface de la Lune

2 Les deux parties de vaisseaux s'amarrent de nouveau. Les deux astronautes rejoignent leur collègue dans le module de commande.

3 Le module de commande se sépare du module lunaire.

4 Le module de commande s'oriente vers la Terre.

5 Le moteur principal est allumé. Le long voyage de retour commence.

6 Le module de commande se sépare du module de service. Les astronautes descendent en parachute dans le nez du module.

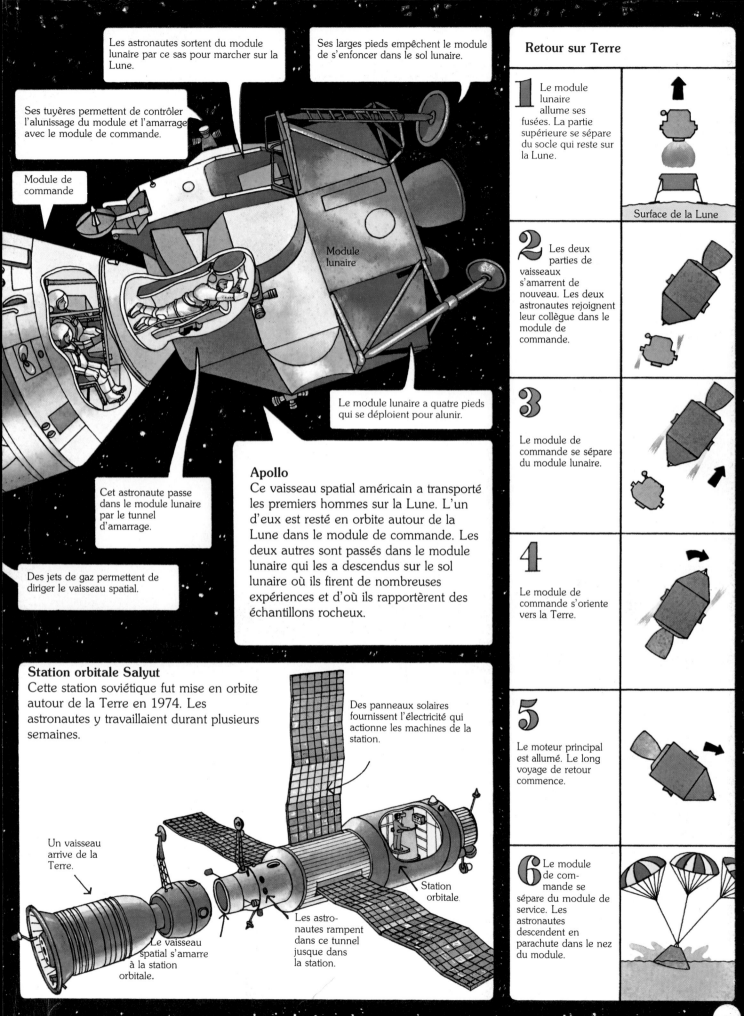

5

Machines volantes

Les aéroplanes volent grâce à leurs moteurs qui les tirent et à leurs ailes qui les soutiennent en l'air.

Les avions ne peuvent quitter le sol que lorsque l'air circule autour de leurs ailes. Ils roulent sur la piste d'envol pour provoquer un tel mouvement. Les ailes sont plates sur leur face inférieure et courbes sur leur face supérieure. De la sorte, l'air circule plus vite au-dessus. L'air inférieur pousse les ailes vers le haut et l'avion s'élève.

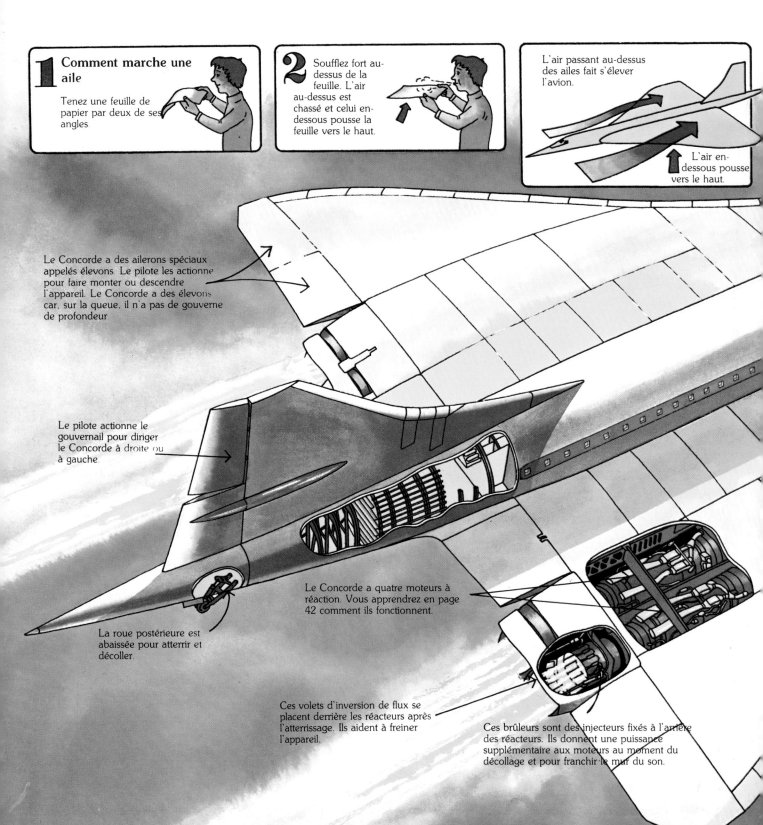

1 Comment marche une aile

Tenez une feuille de papier par deux de ses angles.

2 Soufflez fort au-dessus de la feuille. L'air au-dessus est chassé et celui en-dessous pousse la feuille vers le haut.

L'air passant au-dessus des ailes fait s'élever l'avion.

L'air en-dessous pousse vers le haut.

Le Concorde a des ailerons spéciaux appelés élevons. Le pilote les actionne pour faire monter ou descendre l'appareil. Le Concorde a des élevons car, sur la queue, il n'a pas de gouverne de profondeur.

Le pilote actionne le gouvernail pour diriger le Concorde à droite ou à gauche.

La roue postérieure est abaissée pour atterrir et décoller.

Le Concorde a quatre moteurs à réaction. Vous apprendrez en page 42 comment ils fonctionnent.

Ces volets d'inversion de flux se placent derrière les réacteurs après l'atterrissage. Ils aident à freiner l'appareil.

Ces brûleurs sont des injecteurs fixés à l'arrière des réacteurs. Ils donnent une puissance supplémentaire aux moteurs au moment du décollage et pour franchir le mur du son.

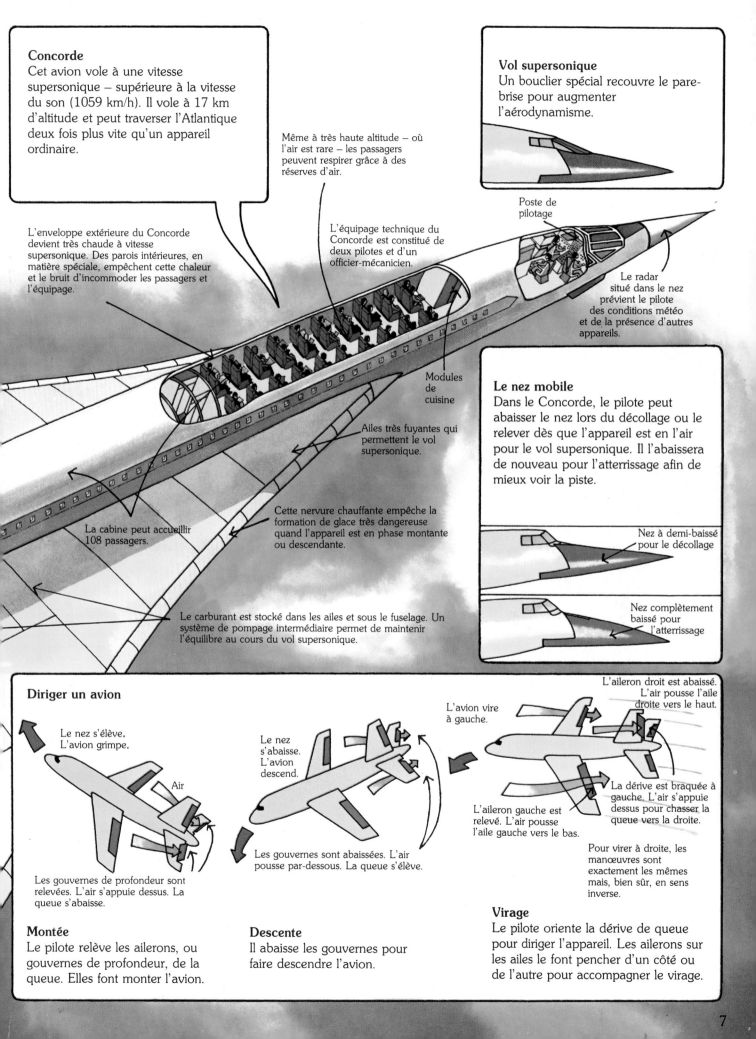

Concorde

Cet avion vole à une vitesse supersonique – supérieure à la vitesse du son (1059 km/h). Il vole à 17 km d'altitude et peut traverser l'Atlantique deux fois plus vite qu'un appareil ordinaire.

Même à très haute altitude – où l'air est rare – les passagers peuvent respirer grâce à des réserves d'air.

Vol supersonique

Un bouclier spécial recouvre le pare-brise pour augmenter l'aérodynamisme.

L'enveloppe extérieure du Concorde devient très chaude à vitesse supersonique. Des parois intérieures, en matière spéciale, empêchent cette chaleur et le bruit d'incommoder les passagers et l'équipage.

L'équipage technique du Concorde est constitué de deux pilotes et d'un officier-mécanicien.

Poste de pilotage

Le radar situé dans le nez prévient le pilote des conditions météo et de la présence d'autres appareils.

Modules de cuisine

Ailes très fuyantes qui permettent le vol supersonique.

La cabine peut accueillir 108 passagers.

Cette nervure chauffante empêche la formation de glace très dangereuse quand l'appareil est en phase montante ou descendante.

Le nez mobile

Dans le Concorde, le pilote peut abaisser le nez lors du décollage ou le relever dès que l'appareil est en l'air pour le vol supersonique. Il l'abaissera de nouveau pour l'atterrissage afin de mieux voir la piste.

Nez à demi-baissé pour le décollage

Nez complètement baissé pour l'atterrissage

Le carburant est stocké dans les ailes et sous le fuselage. Un système de pompage intermédiaire permet de maintenir l'équilibre au cours du vol supersonique.

Diriger un avion

Le nez s'élève. L'avion grimpe.

Air

Les gouvernes de profondeur sont relevées. L'air s'appuie dessus. La queue s'abaisse.

Le nez s'abaisse. L'avion descend.

Les gouvernes sont abaissées. L'air pousse par-dessous. La queue s'élève.

L'avion vire à gauche.

L'aileron droit est abaissé. L'air pousse l'aile droite vers le haut.

L'aileron gauche est relevé. L'air pousse l'aile gauche vers le bas.

La dérive est braquée à gauche. L'air s'appuie dessus pour chasser la queue vers la droite.

Pour virer à droite, les manœuvres sont exactement les mêmes mais, bien sûr, en sens inverse.

Montée

Le pilote relève les ailerons, ou gouvernes de profondeur, de la queue. Elles font monter l'avion.

Descente

Il abaisse les gouvernes pour faire descendre l'avion.

Virage

Le pilote oriente la dérive de queue pour diriger l'appareil. Les ailerons sur les ailes le font pencher d'un côté ou de l'autre pour accompagner le virage.

Hovercraft

L'hovercraft peut se déplacer sur l'eau, la glace, la boue et tout autre terrain plat. Il glisse en s'appuyant sur un coussin d'air.

Cet hovercraft type SRN4 peut transporter 254 passagers et 30 véhicules, à la vitesse de 130 km/h, et, sur l'eau, peut franchir des creux de 3 m.

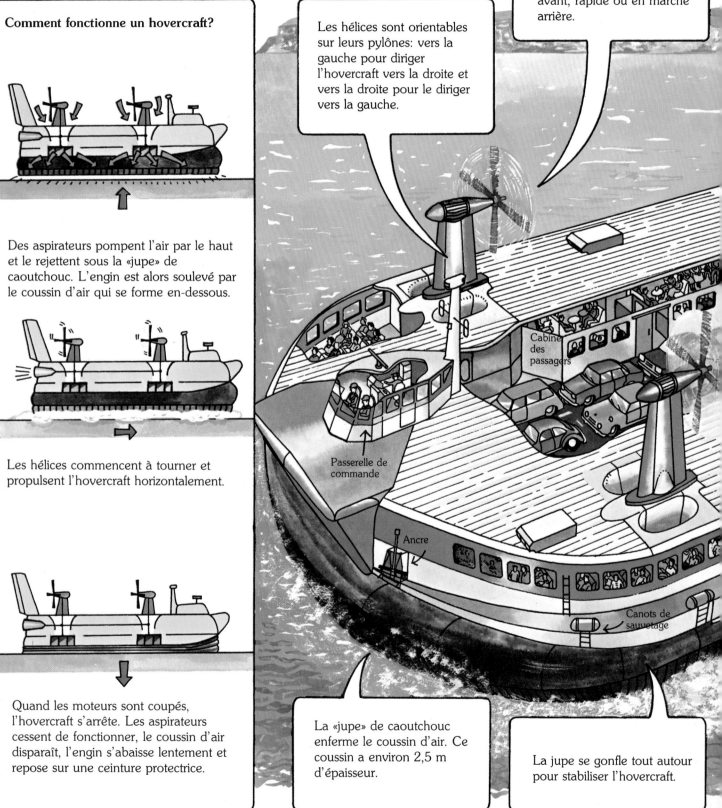

Comment fonctionne un hovercraft?

Des aspirateurs pompent l'air par le haut et le rejettent sous la «jupe» de caoutchouc. L'engin est alors soulevé par le coussin d'air qui se forme en-dessous.

Les hélices commencent à tourner et propulsent l'hovercraft horizontalement.

Quand les moteurs sont coupés, l'hovercraft s'arrête. Les aspirateurs cessent de fonctionner, le coussin d'air disparaît, l'engin s'abaisse lentement et repose sur une ceinture protectrice.

Les hélices sont orientables sur leurs pylônes: vers la gauche pour diriger l'hovercraft vers la droite et vers la droite pour le diriger vers la gauche.

Les hélices propulsent l'hovercraft horizontalement. L'orientation des pales permet une progression lente en avant, rapide ou en marche arrière.

Cabine des passagers

Passerelle de commande

Ancre

Canots de sauvetage

La «jupe» de caoutchouc enferme le coussin d'air. Ce coussin a environ 2,5 m d'épaisseur.

La jupe se gonfle tout autour pour stabiliser l'hovercraft.

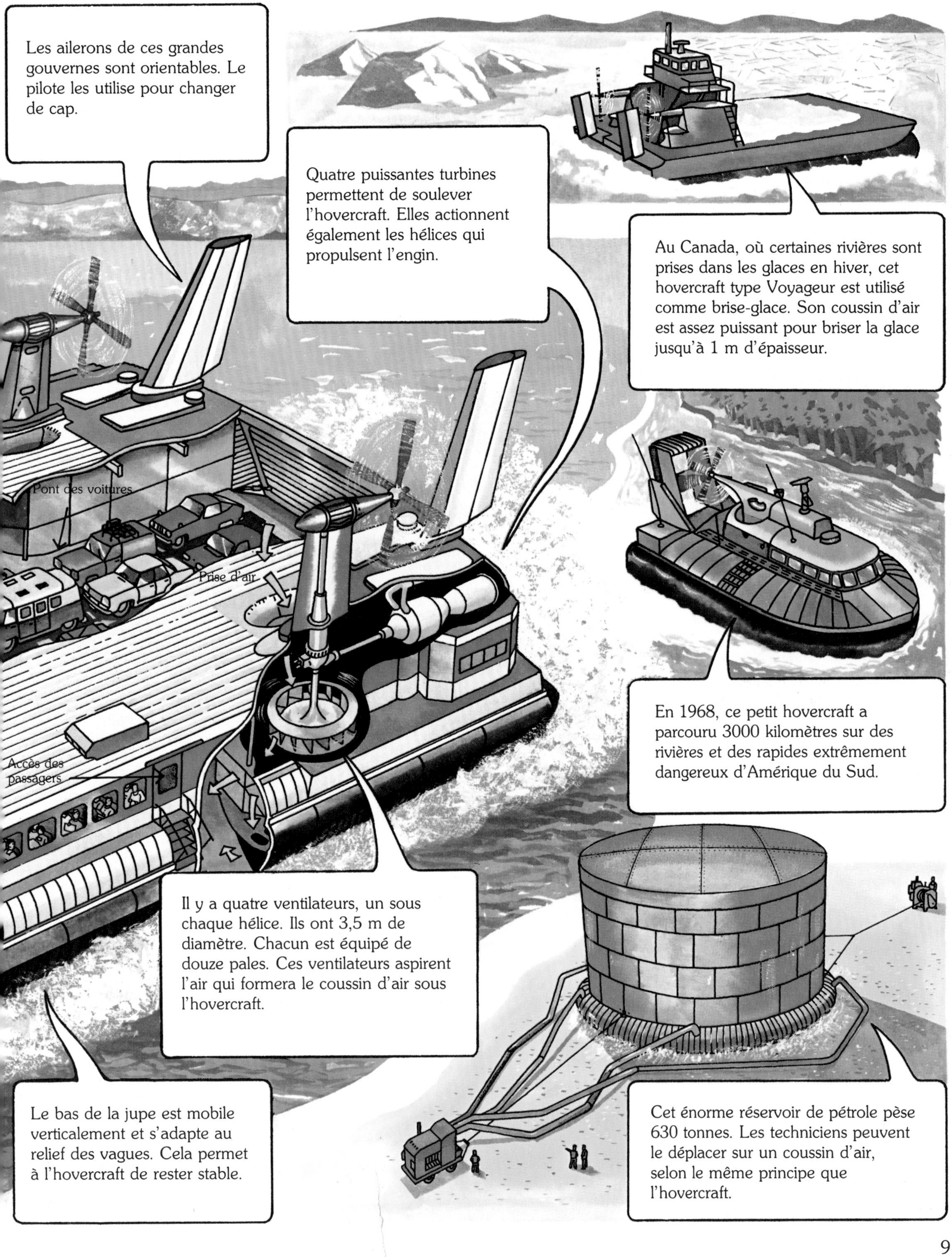

Les ailerons de ces grandes gouvernes sont orientables. Le pilote les utilise pour changer de cap.

Quatre puissantes turbines permettent de soulever l'hovercraft. Elles actionnent également les hélices qui propulsent l'engin.

Au Canada, où certaines rivières sont prises dans les glaces en hiver, cet hovercraft type Voyageur est utilisé comme brise-glace. Son coussin d'air est assez puissant pour briser la glace jusqu'à 1 m d'épaisseur.

Pont des voitures

Prise d'air

Accès des passagers

En 1968, ce petit hovercraft a parcouru 3000 kilomètres sur des rivières et des rapides extrêmement dangereux d'Amérique du Sud.

Il y a quatre ventilateurs, un sous chaque hélice. Ils ont 3,5 m de diamètre. Chacun est équipé de douze pales. Ces ventilateurs aspirent l'air qui formera le coussin d'air sous l'hovercraft.

Le bas de la jupe est mobile verticalement et s'adapte au relief des vagues. Cela permet à l'hovercraft de rester stable.

Cet énorme réservoir de pétrole pèse 630 tonnes. Les techniciens peuvent le déplacer sur un coussin d'air, selon le même principe que l'hovercraft.

Engins à vol station-naire

Les appareils montrés sur ces deux pages peuvent voler horizontalement et verticalement. Le chasseur Harrier peut s'envoler de terrains de dimensions très réduites et même de bateaux en mer.

Les hélicoptères sont très utiles pour atteindre des lieux difficiles d'accès ou des routes.

Tir de missiles

Ce Harrier tire un de ses missiles air-sol. Il peut transporter 2270 kg d'armement sous son fuselage et sous ses ailes.

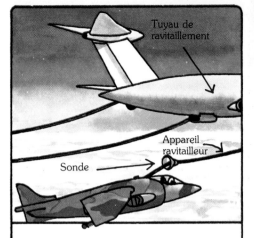

Ravitaillement en vol

Le pilote introduit une sonde dans l'entonnoir en bout de tuyau de ravitaillement. Le carburant est alors pompé depuis l'avion ravitailleur.

Dans le poste de pilotage, une carte du terrain survolé s'inscrit sur un écran. Un système de visée assistée, projetée sur le pare-brise, aide le pilote à faire feu sans risque d'erreur.

Ces volets servent à diriger l'appareil. Voyez page 7, pilotage des avions.

Le Harrier peut voler à 1186 km/h. Les moteurs à réaction aspirent l'air de chaque côté de l'appareil. Voyez page 42, fonctionnement des moteurs à réaction.

Les gaz d'échappement sont expulsés par ces tuyères. Quand celles-ci sont tournées vers le bas, leur souffle soulève l'appareil. Quand elles sont tournées vers l'arrière, il se déplace horizontalement.

La petite hélice à l'arrière (rotor de queue) empêche l'appareil de tournoyer sur lui-même lorsque les grandes pales sont en rotation.

Cet hélicoptère possède deux moteurs à turbines. Cela lui permet de voler même si un moteur tombe en panne. Ces moteurs font tourner les pales principales et le rotor de queue.

Ces grandes pales tournent à très grande vitesse. Elles poussent l'air vers le bas, ce qui maintient l'hélicoptère en suspension. C'est le vol stationnaire. Les illustrations en bas de page montrent comment se déplace un hélicoptère.

Cet hélicoptère recueille des blessés. Il peut acueillir trois brancards et deux médecins.

Quand l'hélicoptère lui-même ne peut se poser, le treuil remonte les blessés (jusqu'à deux en même temps).

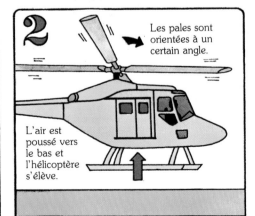

1 **Comment vole un hélicoptère**

Les pales sont à l'horizontale. L'hélicoptère reste au sol.

Le pilote lance le moteur. Les pales entrent en rotation mais l'hélicoptère reste au sol.

2

Les pales sont orientées à un certain angle.

L'air est poussé vers le bas et l'hélicoptère s'élève.

Quand le pilote donne un certain angle aux pales, elles prennent appui sur l'air et l'hélicoptère s'élève.

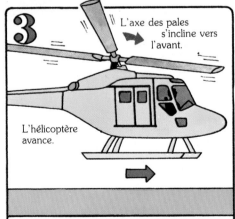

3

L'axe des pales s'incline vers l'avant.

L'hélicoptère avance.

Le pilote incline alors les pales vers l'avant. L'hélicoptère s'arrête de monter et vole à l'horizontale.

Bateaux

Ces illustrations montrent quelques utilisations des bateaux. Les bateaux ne se déplacent pas aussi vite que les avions ou la plupart des véhicules terrestres, mais ils peuvent transporter des charges extrêmement lourdes et encombrantes sur de grandes distances.

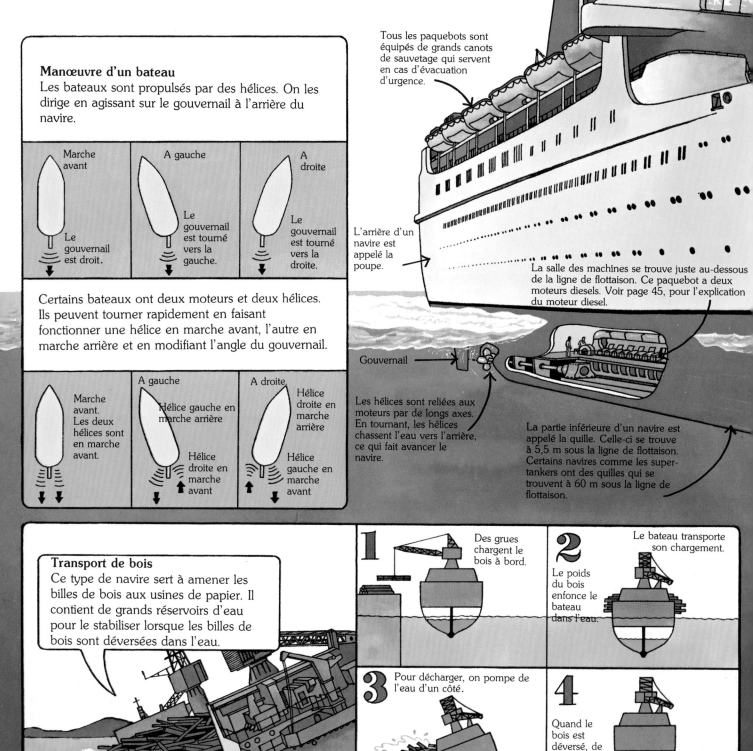

Les gaz d'échappement des moteurs diesels sont évacués par la cheminée.

Manœuvre d'un bateau

Les bateaux sont propulsés par des hélices. On les dirige en agissant sur le gouvernail à l'arrière du navire.

Marche avant
Le gouvernail est droit.

A gauche
Le gouvernail est tourné vers la gauche.

A droite
Le gouvernail est tourné vers la droite.

Certains bateaux ont deux moteurs et deux hélices. Ils peuvent tourner rapidement en faisant fonctionner une hélice en marche avant, l'autre en marche arrière et en modifiant l'angle du gouvernail.

Marche avant. Les deux hélices sont en marche avant.

A gauche
Hélice gauche en marche arrière
Hélice droite en marche avant

A droite
Hélice droite en marche arrière
Hélice gauche en marche avant

Tous les paquebots sont équipés de grands canots de sauvetage qui servent en cas d'évacuation d'urgence.

L'arrière d'un navire est appelé la poupe.

La salle des machines se trouve juste au-dessous de la ligne de flottaison. Ce paquebot a deux moteurs diesels. Voir page 45, pour l'explication du moteur diesel.

Gouvernail

Les hélices sont reliées aux moteurs par de longs axes. En tournant, les hélices chassent l'eau vers l'arrière, ce qui fait avancer le navire.

La partie inférieure d'un navire est appelé la quille. Celle-ci se trouve à 5,5 m sous la ligne de flottaison. Certains navires comme les super-tankers ont des quilles qui se trouvent à 60 m sous la ligne de flottaison.

Transport de bois

Ce type de navire sert à amener les billes de bois aux usines de papier. Il contient de grands réservoirs d'eau pour le stabiliser lorsque les billes de bois sont déversées dans l'eau.

1 Des grues chargent le bois à bord.

2 Le bateau transporte son chargement.
Le poids du bois enfonce le bateau dans l'eau.

3 Pour décharger, on pompe de l'eau d'un côté.
Le bateau penche jusqu'à ce que le bois glisse dans l'eau.

4 Quand le bois est déversé, de l'eau entre dans le bateau qui se redresse.

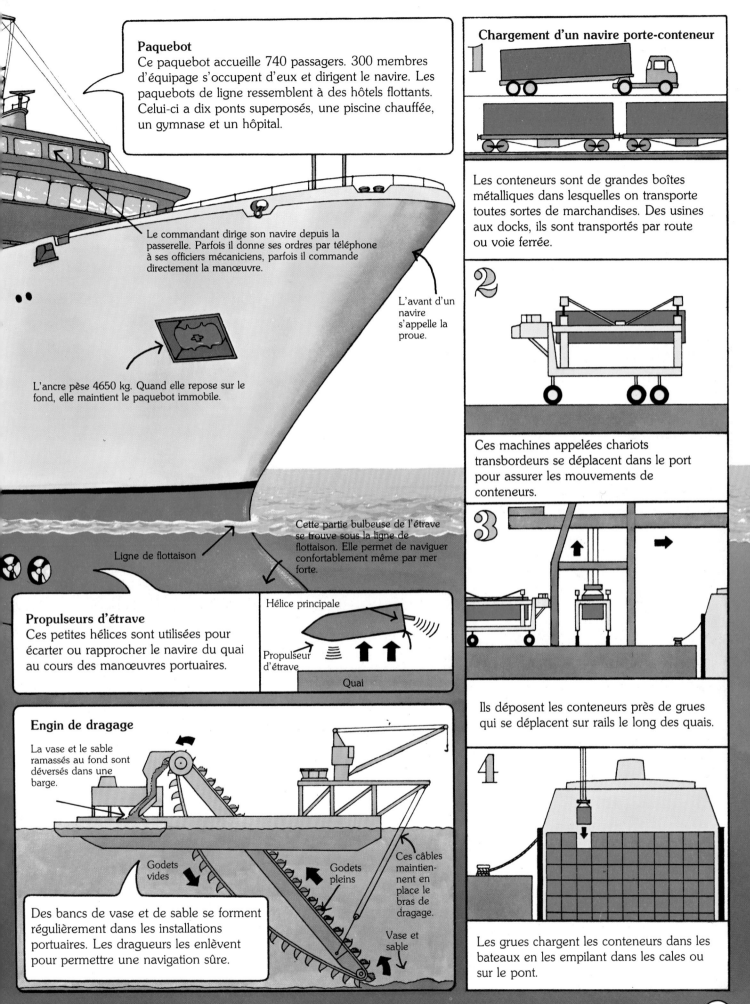

Paquebot

Ce paquebot accueille 740 passagers. 300 membres d'équipage s'occupent d'eux et dirigent le navire. Les paquebots de ligne ressemblent à des hôtels flottants. Celui-ci a dix ponts superposés, une piscine chauffée, un gymnase et un hôpital.

Le commandant dirige son navire depuis la passerelle. Parfois il donne ses ordres par téléphone à ses officiers mécaniciens, parfois il commande directement la manœuvre.

L'avant d'un navire s'appelle la proue.

L'ancre pèse 4650 kg. Quand elle repose sur le fond, elle maintient le paquebot immobile.

Cette partie bulbeuse de l'étrave se trouve sous la ligne de flottaison. Elle permet de naviguer confortablement même par mer forte.

Ligne de flottaison

Propulseurs d'étrave

Ces petites hélices sont utilisées pour écarter ou rapprocher le navire du quai au cours des manœuvres portuaires.

Hélice principale

Propulseur d'étrave

Quai

Engin de dragage

La vase et le sable ramassés au fond sont déversés dans une barge.

Godets vides

Godets pleins

Ces câbles maintiennent en place le bras de dragage.

Vase et sable

Des bancs de vase et de sable se forment régulièrement dans les installations portuaires. Les dragueurs les enlèvent pour permettre une navigation sûre.

Chargement d'un navire porte-conteneur

1

Les conteneurs sont de grandes boîtes métalliques dans lesquelles on transporte toutes sortes de marchandises. Des usines aux docks, ils sont transportés par route ou voie ferrée.

2

Ces machines appelées chariots transbordeurs se déplacent dans le port pour assurer les mouvements de conteneurs.

3

Ils déposent les conteneurs près de grues qui se déplacent sur rails le long des quais.

4

Les grues chargent les conteneurs dans les bateaux en les empilant dans les cales ou sur le pont.

Trains

Les trains sont utilisés dans le monde entier pour le transport des marchandises et des passagers. Les moteurs modernes, électriques ou diesels, sont mieux adaptés aux longues distances que les anciennes machines à vapeur. Voyez pages 42 à 45 comment ils fonctionnent.

Machine à vapeur

Elle nécessite du charbon et de l'eau. L'eau est transformée en vapeur qui fait tourner les roues.

Comment les roues s'adaptent sur les rails

Une gorge du côté intérieur empêche la roue de glisser hors du rail.

Métro

Certaines grandes villes comme Paris, Londres, Moscou et New-York ont un réseau de trains souterrains électriques pour le transport des passagers. L'alimentation en électricité se fait à partir d'un troisième rail. Les portes s'ouvrent automatiquement pour laisser entrer et sortir les voyageurs.

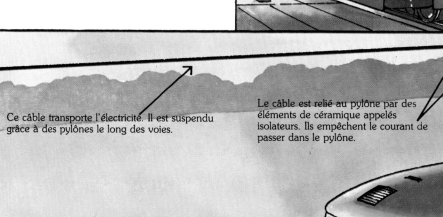

Ce câble transporte l'électricité. Il est suspendu grâce à des pylônes le long des voies.

Le câble est relié au pylône par des éléments de céramique appelés isolateurs. Ils empêchent le courant de passer dans le pylône.

Le conducteur agit sur le moteur depuis sa cabine. Des cadrans lui indiquent le bon fonctionnement de sa machine.

Trains électriques

Cette motrice a quatre moteurs électriques. Elle peut accélérer très fortement même en tirant de nombreux wagons. L'électricité qui fait tourner le moteur est produite dans des centrales électriques et transportée le long des câbles, ou caténaires.

Pose de nouveaux rails

Quand les rails et les traverses sont usés, on les remplace par de nouveaux. Tout d'abord, le nouveau rail (en rouge) est déposé à côté de l'ancien (en bleu). Suivez les étapes successives pour comprendre comment l'on procède.

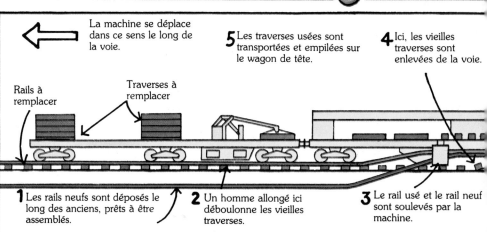

La machine se déplace dans ce sens le long de la voie.

5 Les traverses usées sont transportées et empilées sur le wagon de tête.

4 Ici, les vieilles traverses sont enlevées de la voie.

Rails à remplacer

Traverses à remplacer

1 Les rails neufs sont déposés le long des anciens, prêts à être assemblés.

2 Un homme allongé ici déboulonne les vieilles traverses.

3 Le rail usé et le rail neuf sont soulevés par la machine.

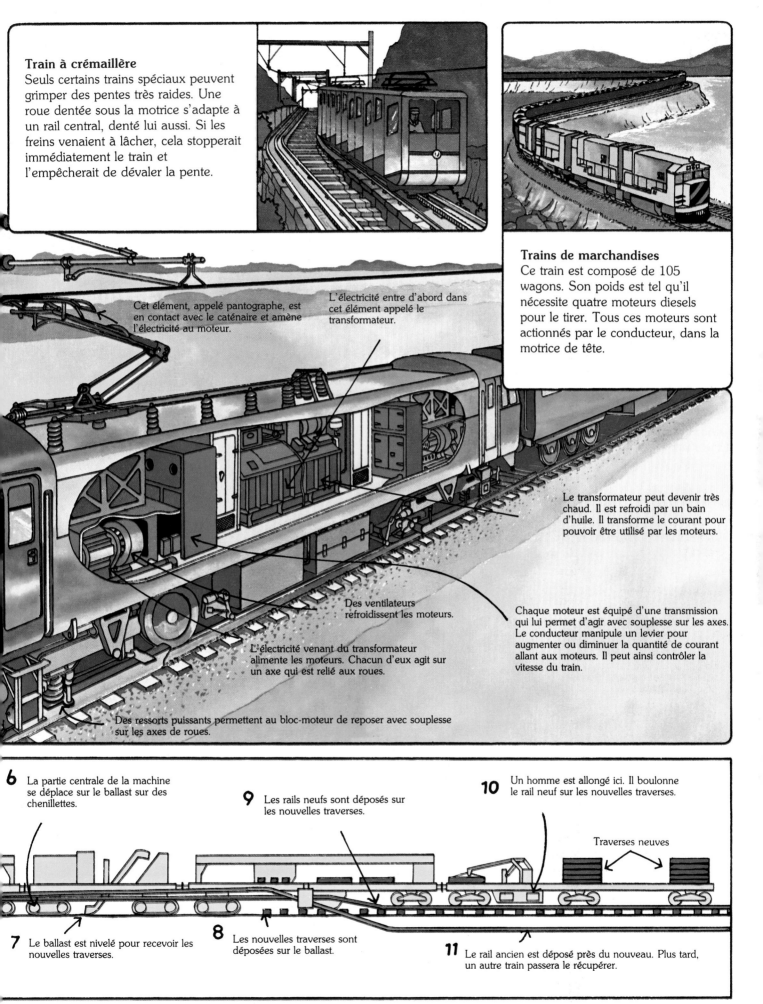

Train à crémaillère
Seuls certains trains spéciaux peuvent grimper des pentes très raides. Une roue dentée sous la motrice s'adapte à un rail central, denté lui aussi. Si les freins venaient à lâcher, cela stopperait immédiatement le train et l'empêcherait de dévaler la pente.

Trains de marchandises
Ce train est composé de 105 wagons. Son poids est tel qu'il nécessite quatre moteurs diesels pour le tirer. Tous ces moteurs sont actionnés par le conducteur, dans la motrice de tête.

Cet élément, appelé pantographe, est en contact avec le caténaire et amène l'électricité au moteur.

L'électricité entre d'abord dans cet élément appelé le transformateur.

Le transformateur peut devenir très chaud. Il est refroidi par un bain d'huile. Il transforme le courant pour pouvoir être utilisé par les moteurs.

Des ventilateurs refroidissent les moteurs.

L'électricité venant du transformateur alimente les moteurs. Chacun d'eux agit sur un axe qui est relié aux roues.

Chaque moteur est équipé d'une transmission qui lui permet d'agir avec souplesse sur les axes. Le conducteur manipule un levier pour augmenter ou diminuer la quantité de courant allant aux moteurs. Il peut ainsi contrôler la vitesse du train.

Des ressorts puissants permettent au bloc-moteur de reposer avec souplesse sur les axes de roues.

6 La partie centrale de la machine se déplace sur le ballast sur des chenillettes.

9 Les rails neufs sont déposés sur les nouvelles traverses.

10 Un homme est allongé ici. Il boulonne le rail neuf sur les nouvelles traverses.

Traverses neuves

7 Le ballast est nivelé pour recevoir les nouvelles traverses.

8 Les nouvelles traverses sont déposées sur le ballast.

11 Le rail ancien est déposé près du nouveau. Plus tard, un autre train passera le récupérer.

Véhicules de compétition

Toutes ces machines sont spécialement conçues pour la course. La plupart d'entre elles sont très légères et possèdent un moteur très puissant qui les propulse à de très grandes vitesses. Les véhicules qui courent sur terre ont également besoin de freins très puissants pour s'arrêter rapidement.

Voiture de rallye

Cette voiture de série a été renforcée pour des compétitions d'endurance. Les pneus à crampons de métal empêchent le véhicule de déraper sur la neige.

Voiture de course

Cette illustration montre les pièces maîtresses d'une voiture de course qui la distinguent d'une voiture ordinaire. La carrosserie est très effilée à l'avant pour mieux pénétrer dans l'air. En course, son moteur consomme un litre d'essence tous les 2,5 km.

Le moteur de cette voiture de course a 8 cylindres. Voyez page 44 comment fonctionne un moteur à essence.

L'air est aspiré dans l'entrée d'air. Il est mélangé à l'essence pour faire fonctionner le moteur.

La boîte de vitesses permet de modifier la vitesse du véhicule.

Quand la voiture se déplace, l'air appuie sur cet aileron et maintient les roues arrière sur la route.

Les gaz d'échappement sont évacués ici.

Les pneus arrière sont très larges et lisses pour que le maximum de puissance disponible soit transmise aux roues et s'applique sur la route.

Changement de pneus au stand

Lorsqu'il se met à pleuvoir durant une course, les mécaniciens adaptent des pneus spécialement conçus pour la pluie. Les 4 pneus peuvent être changés en moins de 30 secondes.

L'huile de ce réservoir est pompée dans le bloc-moteur pour que toutes ses pièces soient convenablement lubrifiées.

Les réservoirs en caoutchouc de chaque côté du véhicule contiennent 118 litres d'essence. L'essence est pompée des deux côtés en même temps pour maintenir l'équilibre du véhicule.

Dragster

Ces engins courent sur des pistes courtes et rectilignes à des vitesses atteignant 380 km/h. Ils vont si vite qu'ils ont besoin de parachutes pour les freiner en bout de piste.

Moto

Les motos courent sur route ou sur circuits spéciaux à près de 280 km/h. Les pilotes prennent les virages complètement déhanchés sur leurs machines pour aborder les courbes à grande vitesse.

Bateau

Les bateaux de course ont des formes qui leur permettent de survoler l'eau. Quand un de ces bateaux est à pleine vitesse, son nez se lève et la quasi-totalité du bateau est hors de l'eau.

Un pilote de course porte un casque, des lunettes et une combinaison ignifugée pour le protéger du feu en cas d'accident.

Un extincteur se déclenche automatiquement près du pilote en cas d'incendie tandis qu'un autre se déclenche près du moteur.

Les voitures de course n'ont pas de compteur de vitesse. Un compte-tours permet au pilote de connaître le régime du moteur.

L'air pénètre dans des manches à air pour refroidir les freins pendant la course.

Quand le pilote actionne le volant, un mécanisme transmet ses mouvements aux roues avant.

Ces ailerons maintiennent les roues avant sur la piste. Les voitures de course vont si vite que, sans eux, elles risqueraient de se soulever à l'avant.

Dragage de mine

1 Le mini sous-marin se trouve sur le pont du dragueur de mines.

Le dragueur de mines transporte un équipement spécial, en particulier un sous-marin miniature.

2 Le sous-marin en plongée

Un équipage grimpe dans le sous-marin et une grue dépose l'engin dans l'eau.

3 Le sonar envoie des impulsions sonores qui rebondissent sur les objets reposant sur le fond

Quand le sous-marin est dans l'eau, un appareil appelé sonar fouille le fond de la mer.

4 Les points lumineux sur l'écran-sonar signalent au pilote la présence d'objets.

5 Une pince saisit la mine.

Le sous-marin a trouvé la mine. Il va la ramener en surface.

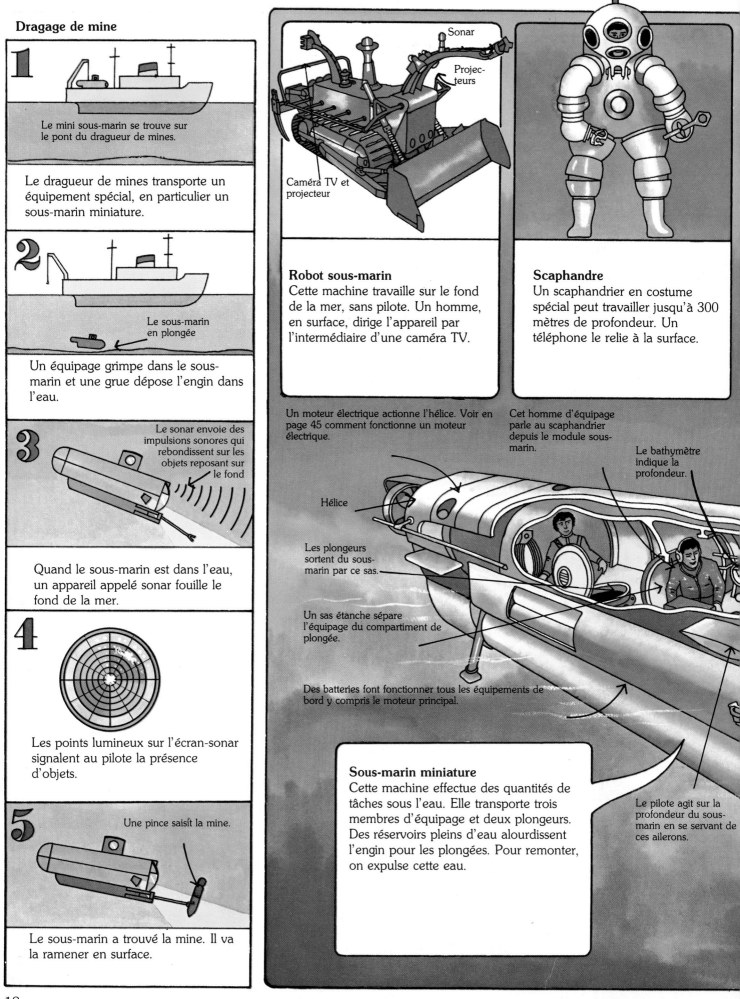

Sonar

Projecteurs

Caméra TV et projecteur

Robot sous-marin
Cette machine travaille sur le fond de la mer, sans pilote. Un homme, en surface, dirige l'appareil par l'intermédiaire d'une caméra TV.

Scaphandre
Un scaphandrier en costume spécial peut travailler jusqu'à 300 mètres de profondeur. Un téléphone le relie à la surface.

Un moteur électrique actionne l'hélice. Voir en page 45 comment fonctionne un moteur électrique.

Cet homme d'équipage parle au scaphandrier depuis le module sous-marin.

Le bathymètre indique la profondeur.

Hélice

Les plongeurs sortent du sous-marin par ce sas.

Un sas étanche sépare l'équipage du compartiment de plongée.

Des batteries font fonctionner tous les équipements de bord y compris le moteur principal.

Sous-marin miniature
Cette machine effectue des quantités de tâches sous l'eau. Elle transporte trois membres d'équipage et deux plongeurs. Des réservoirs pleins d'eau alourdissent l'engin pour les plongées. Pour remonter, on expulse cette eau.

Le pilote agit sur la profondeur du sous-marin en se servant de ces ailerons.

Engins sous-marins

De nombreux engins sont utilisés pour explorer le fond des mers et y travailler. Ceux qui peuvent plonger à de grandes profondeurs doivent avoir une forme spéciale et être particulièrement solides pour leur éviter d'être écrasés par la pression de l'eau.

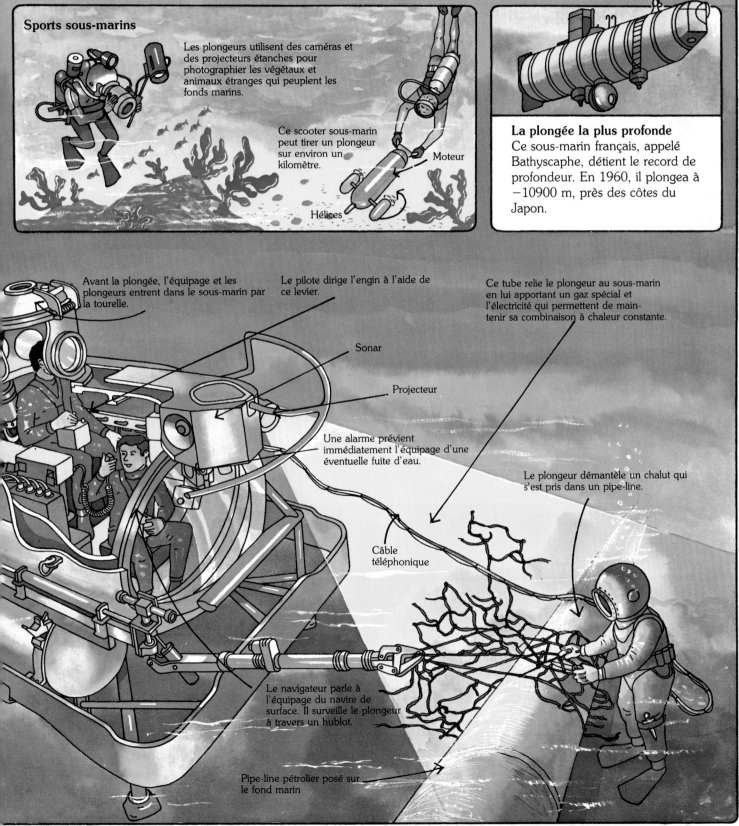

Sports sous-marins

Les plongeurs utilisent des caméras et des projecteurs étanches pour photographier les végétaux et animaux étranges qui peuplent les fonds marins.

Ce scooter sous-marin peut tirer un plongeur sur environ un kilomètre.

Moteur

Hélices

La plongée la plus profonde
Ce sous-marin français, appelé Bathyscaphe, détient le record de profondeur. En 1960, il plongea à −10900 m, près des côtes du Japon.

Avant la plongée, l'équipage et les plongeurs entrent dans le sous-marin par la tourelle.

Le pilote dirige l'engin à l'aide de ce levier.

Ce tube relie le plongeur au sous-marin en lui apportant un gaz spécial et l'électricité qui permettent de maintenir sa combinaison à chaleur constante.

Sonar

Projecteur

Une alarme prévient immédiatement l'équipage d'une éventuelle fuite d'eau.

Le plongeur démantèle un chalut qui s'est pris dans un pipe-line.

Câble téléphonique

Le navigateur parle à l'équipage du navire de surface. Il surveille le plongeur à travers un hublot.

Pipe-line pétrolier posé sur le fond marin

Combat terrestre

Les armes modernes utilisent, pour combattre sur terre, des chars et des véhicules blindés comme ceux que nous montrons sur ces pages.

Ils sont en acier épais pour protéger les soldats des mines et des projectiles ennemis.

Le char est peint en vert et brun pour mieux le dissimuler. Cela s'appelle le camouflage.

Char de combat

Cette machine de guerre est servie par un équipage de quatre hommes – un chef de char, un artilleur, un pilote et un opérateur radio. Il a deux moteurs diesels à l'arrière. Le moteur principal actionne les roues qui font tourner les chenilles, le plus petit sert à démarrer le premier.

Antenne radio

Chef de char

Mitrailleuse du chef de char

Ce projecteur émet des rayons infra-rouges pour viser de nuit. On ne peut pas voir ces rayons. L'objectif ennemi s'inscrit sur un écran à l'intérieur du char.

Des grenades fumigènes sont lancées par ces tubes.

La tourelle pivote à 360° pour permettre de tirer dans toutes les directions.

Les munitions sont stockées dans des réservoirs d'eau pour empêcher les explosions accidentelles.

Toutes les ouvertures doivent pouvoir fermer hermétiquement pour empêcher l'eau ou le feu d'entrer à l'intérieur.

Le pilote est assis très en avant. Il dirige le char en manœuvrant les chenilles.

Le dessous du char est bombé pour mieux résister, au cas où une mine exploserait au passage.

1 Possibilités de manœuvre

Les tanks sont étanches et peuvent franchir des rivières. Le chef de char donne ses ordres depuis la tourelle.

Tourelle surélevée du chef de char

2 Les rainures des chenilles agrippent le sol. Le moteur puissant permet de franchir les reliefs les plus raides.

3 Pendant les combats, les tanks diffusent des rideaux de fumée pour dissimuler leur position à l'ennemi.

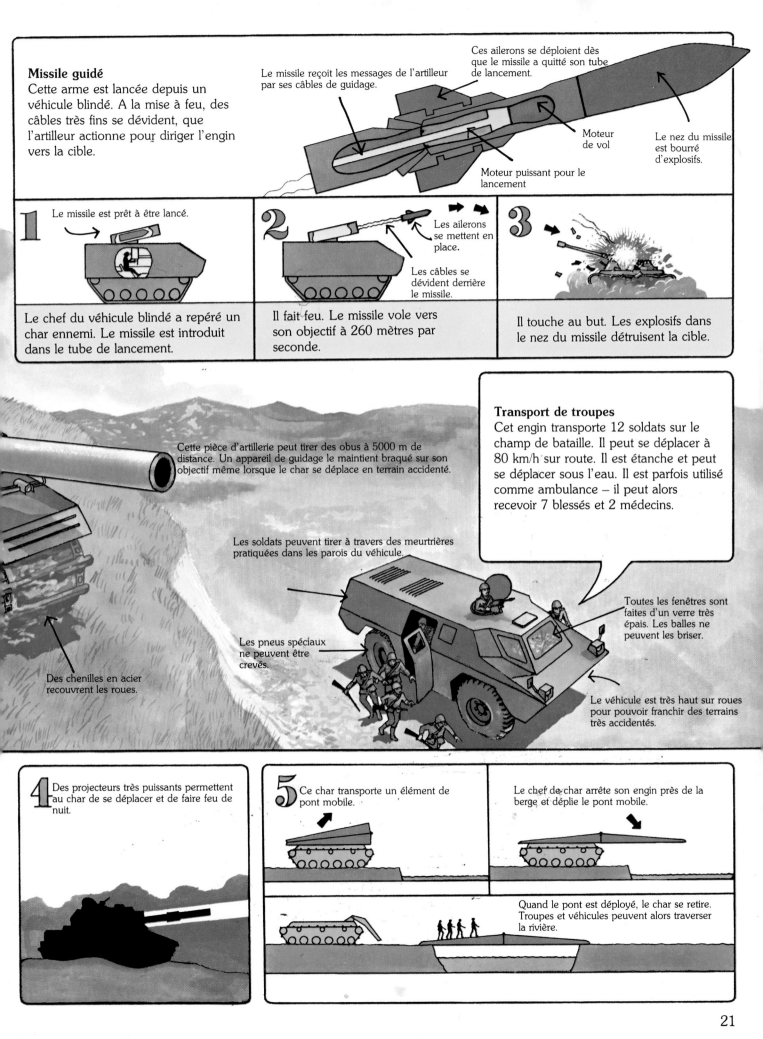

Missile guidé

Cette arme est lancée depuis un véhicule blindé. A la mise à feu, des câbles très fins se dévident, que l'artilleur actionne pour diriger l'engin vers la cible.

Le missile reçoit les messages de l'artilleur par ses câbles de guidage.

Ces ailerons se déploient dès que le missile a quitté son tube de lancement.

Moteur de vol

Le nez du missile est bourré d'explosifs.

Moteur puissant pour le lancement

1 Le missile est prêt à être lancé.

Le chef du véhicule blindé a repéré un char ennemi. Le missile est introduit dans le tube de lancement.

2 Les ailerons se mettent en place.

Les câbles se dévident derrière le missile.

Il fait feu. Le missile vole vers son objectif à 260 mètres par seconde.

3 Il touche au but. Les explosifs dans le nez du missile détruisent la cible.

Cette pièce d'artillerie peut tirer des obus à 5000 m de distance. Un appareil de guidage le maintient braqué sur son objectif même lorsque le char se déplace en terrain accidenté.

Transport de troupes

Cet engin transporte 12 soldats sur le champ de bataille. Il peut se déplacer à 80 km/h sur route. Il est étanche et peut se déplacer sous l'eau. Il est parfois utilisé comme ambulance – il peut alors recevoir 7 blessés et 2 médecins.

Les soldats peuvent tirer à travers des meurtrières pratiquées dans les parois du véhicule.

Toutes les fenêtres sont faites d'un verre très épais. Les balles ne peuvent les briser.

Les pneus spéciaux ne peuvent être crevés.

Des chenilles en acier recouvrent les roues.

Le véhicule est très haut sur roues pour pouvoir franchir des terrains très accidentés.

4 Des projecteurs très puissants permettent au char de se déplacer et de faire feu de nuit.

5 Ce char transporte un élément de pont mobile.

Le chef de char arrête son engin près de la berge et déplie le pont mobile.

Quand le pont est déployé, le char se retire. Troupes et véhicules peuvent alors traverser la rivière.

21

Combat aérien

Les avions militaires ont des missions variées. Les avions de reconnaissance volent très haut et très vite pour éviter les missiles ennemis. Les chasseurs attaquent les avions ennemis en plein vol et les gros porteurs transportent troupes et engins lourds.

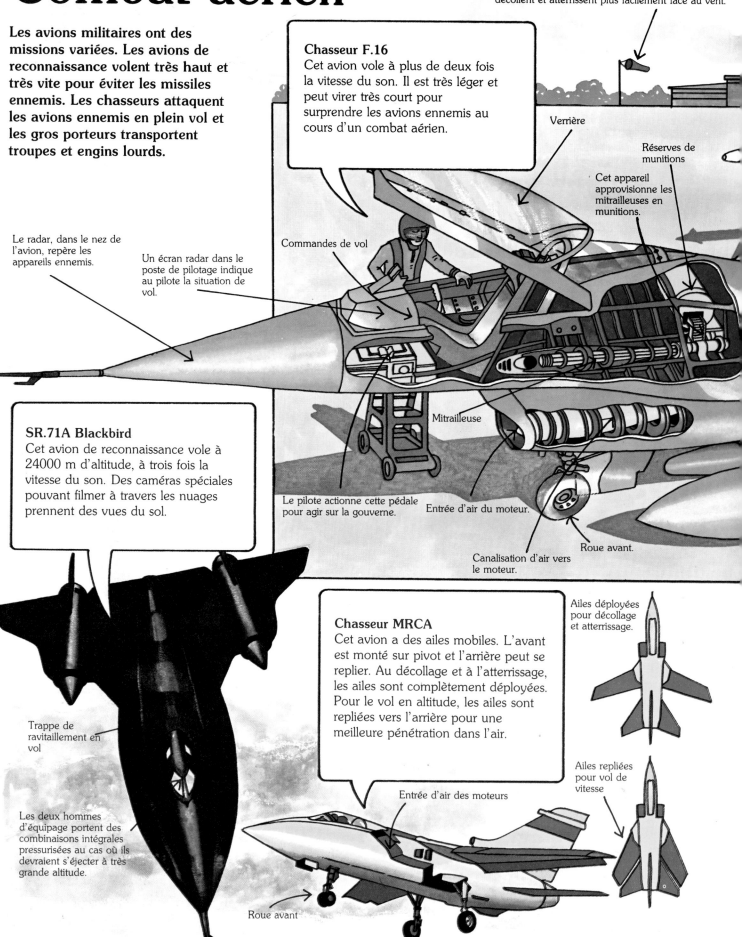

Une manche à air indique la direction du vent. C'est une information importante car les avions décollent et atterrissent plus facilement face au vent.

Chasseur F.16
Cet avion vole à plus de deux fois la vitesse du son. Il est très léger et peut virer très court pour surprendre les avions ennemis au cours d'un combat aérien.

Verrière

Réserves de munitions

Cet appareil approvisionne les mitrailleuses en munitions.

Le radar, dans le nez de l'avion, repère les appareils ennemis.

Un écran radar dans le poste de pilotage indique au pilote la situation de vol.

Commandes de vol

Mitrailleuse

SR.71A Blackbird
Cet avion de reconnaissance vole à 24000 m d'altitude, à trois fois la vitesse du son. Des caméras spéciales pouvant filmer à travers les nuages prennent des vues du sol.

Le pilote actionne cette pédale pour agir sur la gouverne.

Entrée d'air du moteur.

Canalisation d'air vers le moteur.

Roue avant.

Trappe de ravitaillement en vol

Les deux hommes d'équipage portent des combinaisons intégrales pressurisées au cas où ils devraient s'éjecter à très grande altitude.

Chasseur MRCA
Cet avion a des ailes mobiles. L'avant est monté sur pivot et l'arrière peut se replier. Au décollage et à l'atterrissage, les ailes sont complètement déployées. Pour le vol en altitude, les ailes sont repliées vers l'arrière pour une meilleure pénétration dans l'air.

Ailes déployées pour décollage et atterrissage.

Ailes repliées pour vol de vitesse

Entrée d'air des moteurs

Roue avant

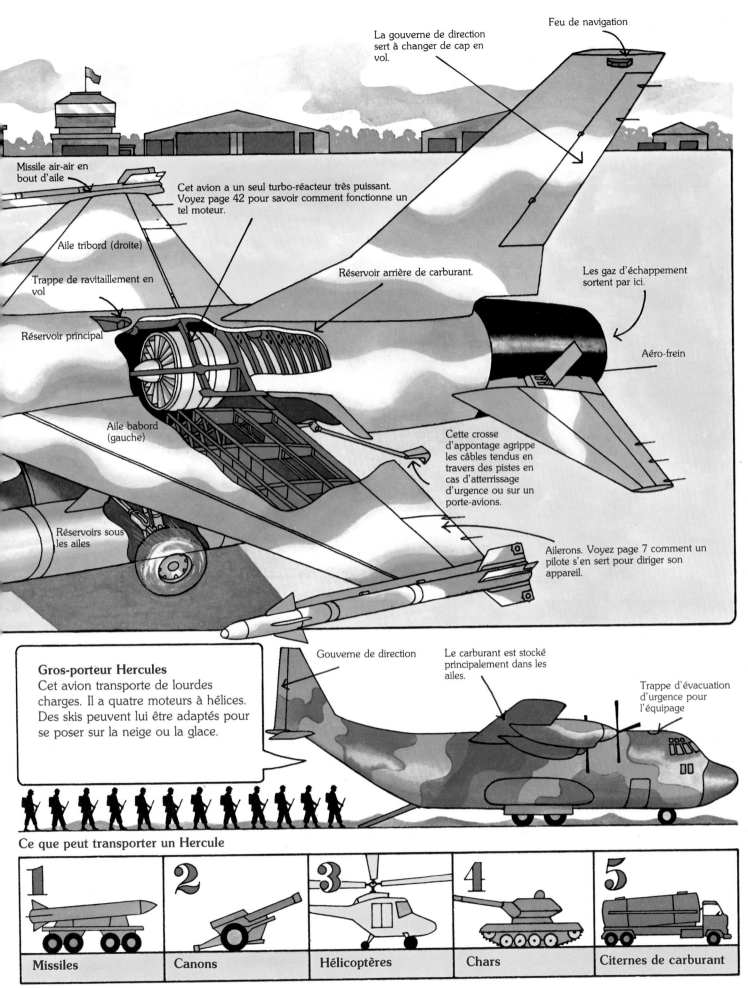

Feu de navigation

La gouverne de direction sert à changer de cap en vol.

Missile air-air en bout d'aile

Cet avion a un seul turbo-réacteur très puissant. Voyez page 42 pour savoir comment fonctionne un tel moteur.

Aile tribord (droite)

Trappe de ravitaillement en vol

Réservoir principal

Réservoir arrière de carburant.

Les gaz d'échappement sortent par ici.

Aéro-frein

Aile babord (gauche)

Cette crosse d'appontage agrippe les câbles tendus en travers des pistes en cas d'atterrissage d'urgence ou sur un porte-avions.

Réservoirs sous les ailes

Ailerons. Voyez page 7 comment un pilote s'en sert pour diriger son appareil.

Gros-porteur Hercules
Cet avion transporte de lourdes charges. Il a quatre moteurs à hélices. Des skis peuvent lui être adaptés pour se poser sur la neige ou la glace.

Gouverne de direction

Le carburant est stocké principalement dans les ailes.

Trappe d'évacuation d'urgence pour l'équipage

Ce que peut transporter un Hercule

1	2	3	4	5
Missiles	Canons	Hélicoptères	Chars	Citernes de carburant

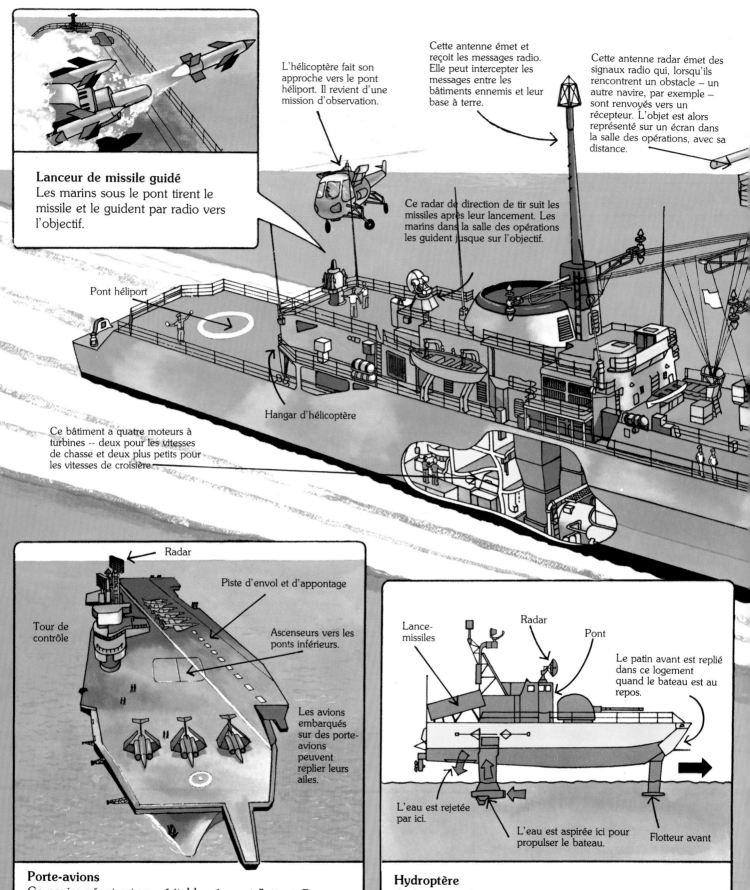

Lanceur de missile guidé
Les marins sous le pont tirent le missile et le guident par radio vers l'objectif.

L'hélicoptère fait son approche vers le pont héliport. Il revient d'une mission d'observation.

Cette antenne émet et reçoit les messages radio. Elle peut intercepter les messages entre les bâtiments ennemis et leur base à terre.

Cette antenne radar émet des signaux radio qui, lorsqu'ils rencontrent un obstacle – un autre navire, par exemple – sont renvoyés vers un récepteur. L'objet est alors représenté sur un écran dans la salle des opérations, avec sa distance.

Ce radar de direction de tir suit les missiles après leur lancement. Les marins dans la salle des opérations les guident jusque sur l'objectif.

Pont héliport

Hangar d'hélicoptère

Ce bâtiment a quatre moteurs à turbines -- deux pour les vitesses de chasse et deux plus petits pour les vitesses de croisière.

Radar

Piste d'envol et d'appontage

Tour de contrôle

Ascenseurs vers les ponts inférieurs.

Les avions embarqués sur des porte-avions peuvent replier leurs ailes.

Porte-avions
Ce navire géant est un véritable aéroport flottant. Des avions à réaction et des hélicoptères sont stockés dans les ponts inférieurs et remontés sur le pont d'envol par des ascenseurs. De tels bâtiments sont servis par plus de 2000 membres d'équipage – officiers, marins et pilotes.

Lance-missiles

Radar

Pont

Le patin avant est replié dans ce logement quand le bateau est au repos.

L'eau est rejetée par ici.

L'eau est aspirée ici pour propulser le bateau.

Flotteur avant

Hydroptère
Ce bateau a des ailes ou patins qui se trouvent juste en-dessous de la surface de l'eau. A l'arrêt ou au ralenti, il repose sur l'eau comme n'importe quel bateau. En prenant de la vitesse, il glisse sur ses patins à plus de 90 km/h.

Combat naval

Frégate
Ce bâtiment de guerre rapide est utilisé pour défendre les bâtiments plus lents de l'attaque de l'ennemi.

Les bateaux de guerre doivent être prêts au combat à tout instant. Dans une guerre, ils participent à la défense du littoral et transportent des troupes et des armes au-delà des mers.

Ils protègent aussi les convois civils et militaires des attaques des bateaux et sous-marins ennemis. En temps de paix, ils sont également très occupés à des tâches de cartographie sous-marine et de sauvetage en haute mer.

Ce navire est dirigé de la passerelle de commandement. Un pilote automatique maintient le cap même par très gros temps.

Ceci est le canon principal. Il tire des obus à plus de 11 km de distance. Les canonniers, sous le pont, chargent les obus sur un tapis roulant pour alimenter la pièce d'artillerie. Quand les calculs électroniques ont déterminé l'emplacement de l'objectif, le canon vise et fait feu automatiquement.

La salle des opérations se trouve sous la passerelle de commandement. Pendant la bataille, le capitaine dirige le bâtiment depuis cette salle d'opérations.

Sous-marin nucléaire
Ce sous-marin transporte assez de nourriture et d'air pour faire le tour du monde sous l'eau sans refaire surface. Il est servi par un équipage de 143 hommes. Ses 16 missiles peuvent être tirés depuis le fond de la mer sur des objectifs se trouvant à plus de 4000 km.

Engins de sauvetage

Ces engins ont tous été conçus pour sauver la vie des victimes d'incendies, d'avalanches, de catastrophes aériennes, d'accidents de voiture ou de bateaux en perdition.

Cette voiture de pompier peut monter plusieurs hommes à 30 mètres du sol pour sauver les personnes prisonnières de grands immeubles en feu. Sa pompe débite 2000 litres d'eau à la minute.

Bras supérieur

Ce pompier manœuvre le bras horizontalement et verticalement. Il peut également communiquer par téléphone avec la nacelle.

Une pompe envoie l'eau sous pression dans une tuyauterie fixée le long du bras.

La pompe aspire l'eau par ce tuyau.

Le conducteur actionne cette sirène pour avertir qu'il se rend sur le lieu d'un incendie.

Pompe

Plateau pivotant

Ces béquilles soulèvent les roues arrière pour stabiliser le véhicule pendant les opérations.

Le moteur diesel actionne la pompe et les vérins de levage du bras.

Voiture de secours sur route
En cas d'accident de la route, ce véhicule se rend sur les lieux. Il projette jusqu'à 13000 litres de mousse anti-feu en moins d'une minute.

Véhicule de secours sur aéroport
Les pompiers utilisent cet engin en cas de catastrophe aérienne. Le véhicule est plein d'eau et de mousse. La pompe peut projeter à 100 mètres de distance la mousse qui étouffe les flammes. Des petites pompes annexes projettent de la mousse tout autour du véhicule.

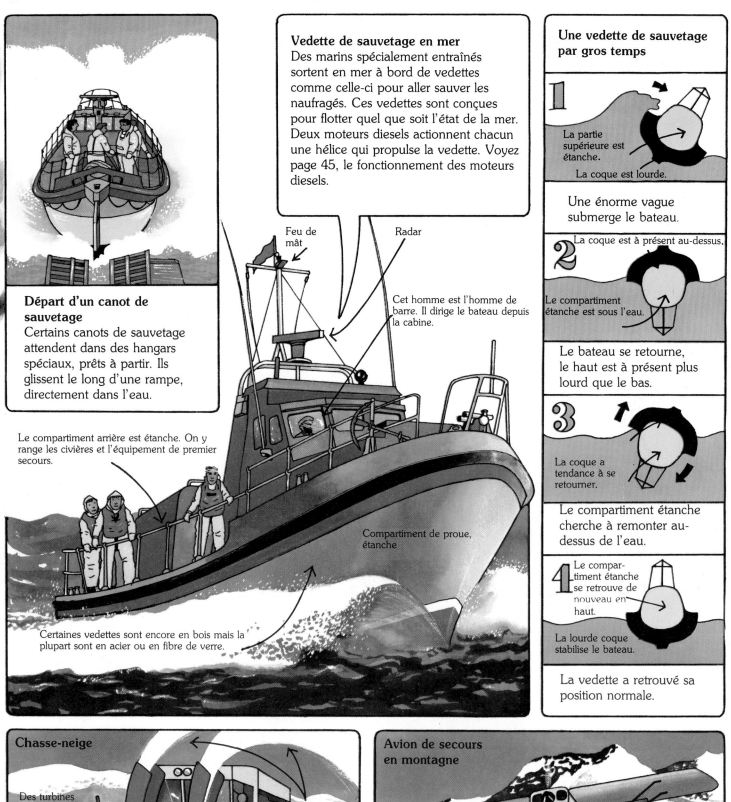

Vedette de sauvetage en mer
Des marins spécialement entraînés sortent en mer à bord de vedettes comme celle-ci pour aller sauver les naufragés. Ces vedettes sont conçues pour flotter quel que soit l'état de la mer. Deux moteurs diesels actionnent chacun une hélice qui propulse la vedette. Voyez page 45, le fonctionnement des moteurs diesels.

Départ d'un canot de sauvetage
Certains canots de sauvetage attendent dans des hangars spéciaux, prêts à partir. Ils glissent le long d'une rampe, directement dans l'eau.

Le compartiment arrière est étanche. On y range les civières et l'équipement de premier secours.

Certaines vedettes sont encore en bois mais la plupart sont en acier ou en fibre de verre.

Feu de mât

Radar

Cet homme est l'homme de barre. Il dirige le bateau depuis la cabine.

Compartiment de proue, étanche

Une vedette de sauvetage par gros temps

1 La partie supérieure est étanche.
La coque est lourde.

Une énorme vague submerge le bateau.

2 La coque est à présent au-dessus.
Le compartiment étanche est sous l'eau.

Le bateau se retourne, le haut est à présent plus lourd que le bas.

3 La coque a tendance à se retourner.

Le compartiment étanche cherche à remonter au-dessus de l'eau.

4 Le compartiment étanche se retrouve de nouveau en haut.
La lourde coque stabilise le bateau.

La vedette a retrouvé sa position normale.

Chasse-neige
Des turbines rejettent la neige sur les côtés.

Les lames du tambour découpent la neige.

Cette machine dégage des épaisseurs de neige de 1,30 mètre. Le tambour tourne à grande vitesse et découpe la neige accumulée. Une turbine rejette la neige des deux côtés.

Avion de secours en montagne

De petits appareils munis de skis peuvent se poser sur les champs de neige de haute montagne. Ils secourent les alpinistes blessés ou prisonniers des avalanches.

Construction

Les grands immeubles nécessitent des fondations solides et profondes. La grue et la foreuse que nous montrons ici servent à creuser des trous pour les piliers en ciment de ces fondations.

Une extrémité de ce câble est fixée au tambour de l'enrouleur à l'intérieur de la grue. L'autre extrémité est fixée au sommet de la colonne de forage. Le moteur de la grue fait tourner le tambour et le câble fait monter ou descendre le foret.

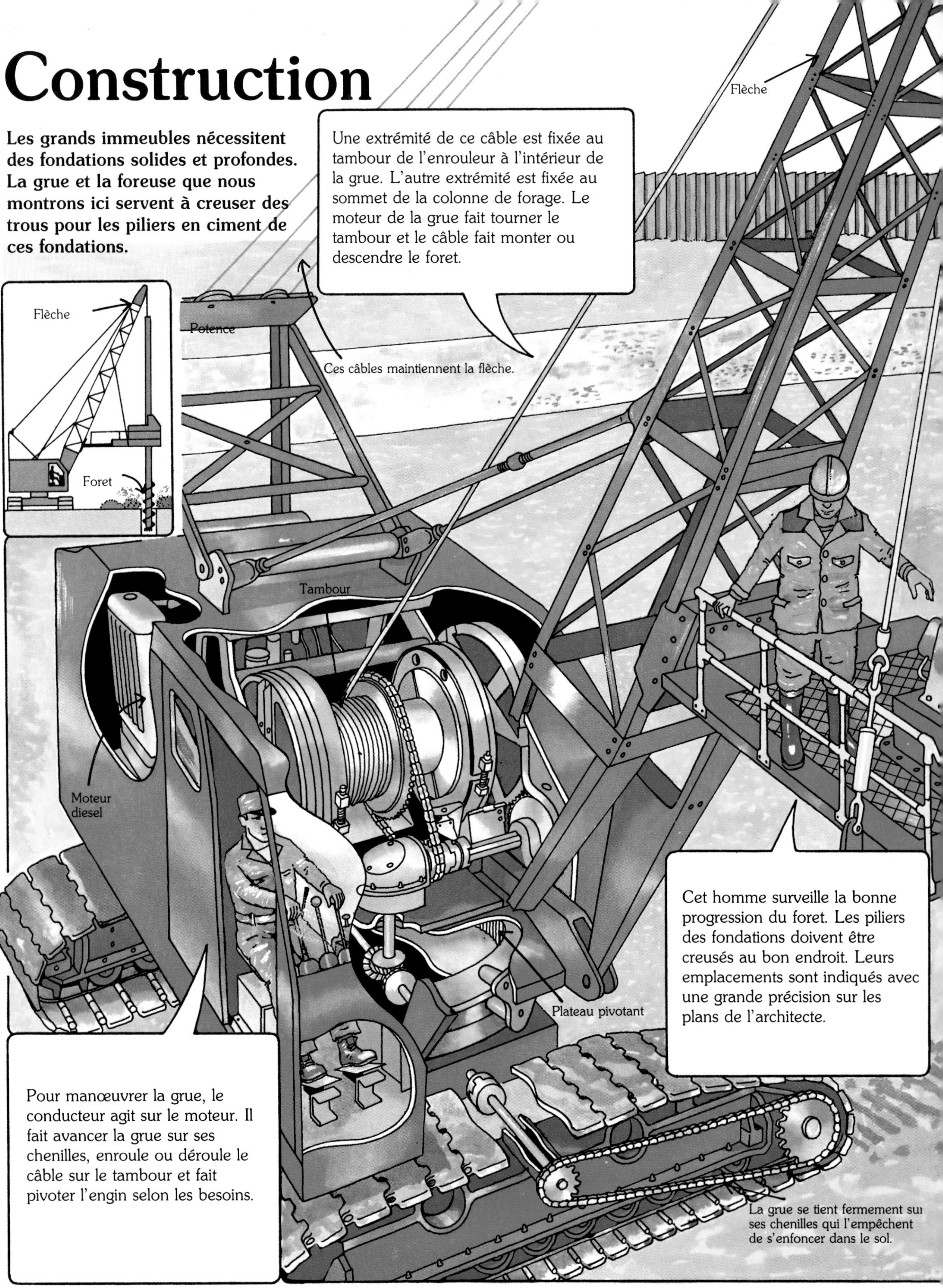

Flèche

Flèche

Foret

Potence

Ces câbles maintiennent la flèche.

Tambour

Moteur diesel

Cet homme surveille la bonne progression du foret. Les piliers des fondations doivent être creusés au bon endroit. Leurs emplacements sont indiqués avec une grande précision sur les plans de l'architecte.

Plateau pivotant

Pour manœuvrer la grue, le conducteur agit sur le moteur. Il fait avancer la grue sur ses chenilles, enroule ou déroule le câble sur le tambour et fait pivoter l'engin selon les besoins.

La grue se tient fermement sur ses chenilles qui l'empêchent de s'enfoncer dans le sol.

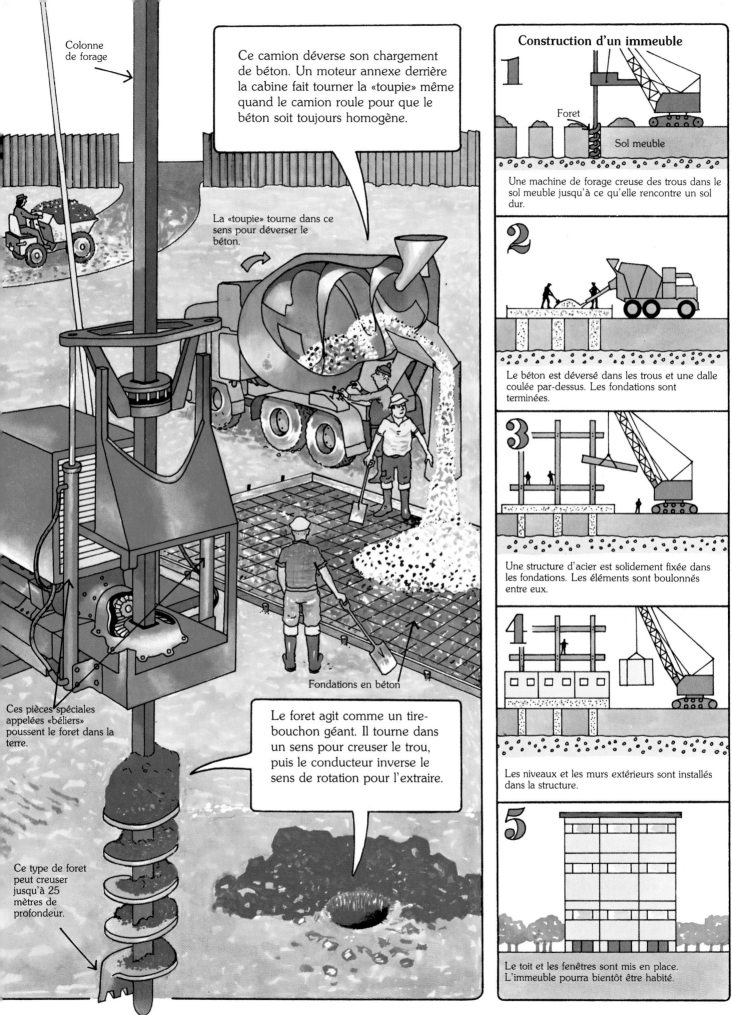

Colonne de forage

Ce camion déverse son chargement de béton. Un moteur annexe derrière la cabine fait tourner la «toupie» même quand le camion roule pour que le béton soit toujours homogène.

La «toupie» tourne dans ce sens pour déverser le béton.

Ces pièces spéciales appelées «béliers» poussent le foret dans la terre.

Ce type de foret peut creuser jusqu'à 25 mètres de profondeur.

Fondations en béton

Le foret agit comme un tire-bouchon géant. Il tourne dans un sens pour creuser le trou, puis le conducteur inverse le sens de rotation pour l'extraire.

Construction d'un immeuble

1 Foret — Sol meuble

Une machine de forage creuse des trous dans le sol meuble jusqu'à ce qu'elle rencontre un sol dur.

2

Le béton est déversé dans les trous et une dalle coulée par-dessus. Les fondations sont terminées.

3

Une structure d'acier est solidement fixée dans les fondations. Les éléments sont boulonnés entre eux.

4

Les niveaux et les murs extérieurs sont installés dans la structure.

5

Le toit et les fenêtres sont mis en place. L'immeuble pourra bientôt être habité.

Ponts et chaussées

Les autoroutes sont spécialement conçues pour que les voitures et les poids-lourds puissent y rouler à grande vitesse en toute sécurité. Leur revêtement, très plat, s'appuie sur des fondations très résistantes.

Suivez les illustrations en bas de page pour comprendre comment les différentes machines interviennent dans la construction d'une route. Elles préparent tout d'abord le sol puis, par-dessus, elles font la route proprement dite.

La lame sous la niveleuse aplanit le sol. Elle est fixée obliquement pour que la route soit légèrement inclinée du milieu vers les bas-côtés.

Cette asphalteuse pousse lentement le camion d'asphalte devant elle. Au fur et à mesure que l'asphalte chaud se déverse, la machine l'étale pendant qu'il est encore mou.

Vérins

Moteur diesel

Des crochets comme celui-ci permettent d'arracher les souches d'arbres ou les gros rochers.

Le conducteur du bulldozer utilise la grosse lame frontale pour dégager les rochers et la terre. La lame – ou pelle – est actionnée horizontalement et verticalement par des vérins.

Les bulldozers se déplacent sur des chenilles. Celles-ci sont en acier et s'adaptent sur les roues. Elles empêchent le bulldozer de s'enfoncer dans le sol et l'aident à pousser de lourdes charges sur les sols meubles et boueux.

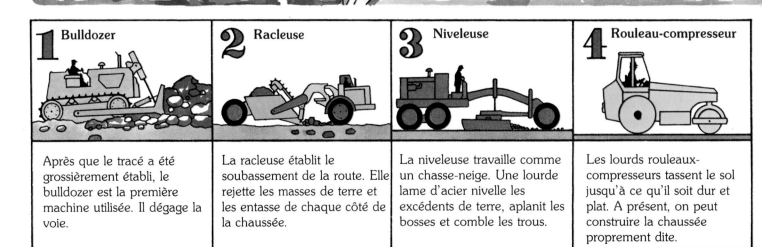

1 Bulldozer

Après que le tracé a été grossièrement établi, le bulldozer est la première machine utilisée. Il dégage la voie.

2 Racleuse

La racleuse établit le soubassement de la route. Elle rejette les masses de terre et les entasse de chaque côté de la chaussée.

3 Niveleuse

La niveleuse travaille comme un chasse-neige. Une lourde lame d'acier nivelle les excédents de terre, aplanit les bosses et comble les trous.

4 Rouleau-compresseur

Les lourds rouleaux-compresseurs tassent le sol jusqu'à ce qu'il soit dur et plat. A présent, on peut construire la chaussée proprement dite.

La terre est entreposée le long de la tranchée puis remise par-dessus les canalisations.

Une excavatrice creuse des tranchées pour les canalisations et les fossés. Les routes sont inclinées du milieu vers les bas-côtés pour l'écoulement des eaux de pluie.

La racleuse géante aplanit le sol. Elle enlève d'énormes quantités de terre et les rejette sur les côtés pour en faire des talus. Un moteur diesel actionne tous les éléments mécaniques de cette machine. Voyez page 45 comment fonctionne un moteur diesel.

Les lames mobiles agissent comme un escalier mécanique. Elles ramassent la terre et la rejettent dans une benne à l'arrière.

Benne

Lames mobiles

Pelle

Moteur diesel

La pelle se trouve en avant de la benne. Quand le conducteur abaisse l'avant de la benne et fait avancer son engin, la pelle enlève la couche supérieure de terre.

Les profondes moulures des pneus aident l'engin à accrocher le sol quand il déplace de lourdes charges.

5 Empierrage

Des camions apportent des chargements de cailloux. Un machine vibrante se déplace lentement sur les cailloux et les étale régulièrement.

6 Rouleau-compresseur

Le rouleau-compresseur repasse sur les cailloux pour affermir la chaussée. Elle est enfin prête à recevoir la couche d'asphalte.

7 Asphalteuse

L'asphalte est une pâte noire compacte qui durcit en refroidissant. Certaines autoroutes sont recouvertes de béton au lieu de cailloux et d'asphalte.

Mines et tunnels

Un grand nombre de métaux et de minéraux (or, cuivre, charbon, diamants) sont enfouis dans le sol – certains à faible profondeur. Des pelleteuses ou excavatrices géantes creusent ces mines à ciel ouvert.

D'autres éléments se trouvent à des milliers de mètres de profondeur. Les mineurs creusent des puits très profonds pour les atteindre. Les mines de fond sont dangereuses car leurs galeries peuvent s'effondrer et des gaz peuvent y créer des explosions.

Excavatrice à godets
Cette machine géante creuse à ciel ouvert. Elle est mue par 26 moteurs électriques, consomme autant d'électricité qu'une petite ville et est servie par une équipe de 13 hommes. Voyez page 45 comment fonctionne un moteur électrique.

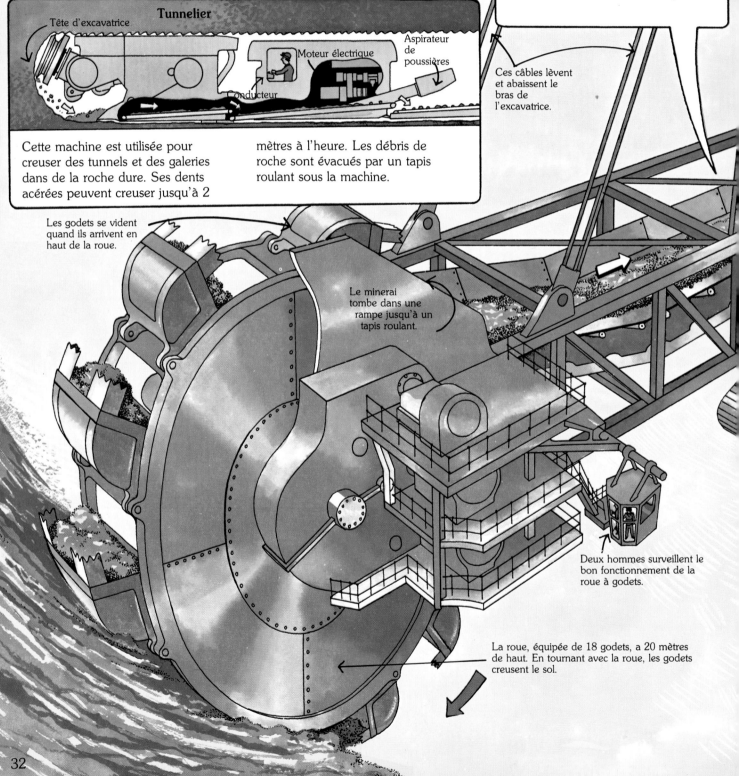

Tunnelier

Tête d'excavatrice

Moteur électrique

Aspirateur de poussières

Conducteur

Cette machine est utilisée pour creuser des tunnels et des galeries dans de la roche dure. Ses dents acérées peuvent creuser jusqu'à 2 mètres à l'heure. Les débris de roche sont évacués par un tapis roulant sous la machine.

Ces câbles lèvent et abaissent le bras de l'excavatrice.

Les godets se vident quand ils arrivent en haut de la roue.

Le minerai tombe dans une rampe jusqu'à un tapis roulant.

Deux hommes surveillent le bon fonctionnement de la roue à godets.

La roue, équipée de 18 godets, a 20 mètres de haut. En tournant avec la roue, les godets creusent le sol.

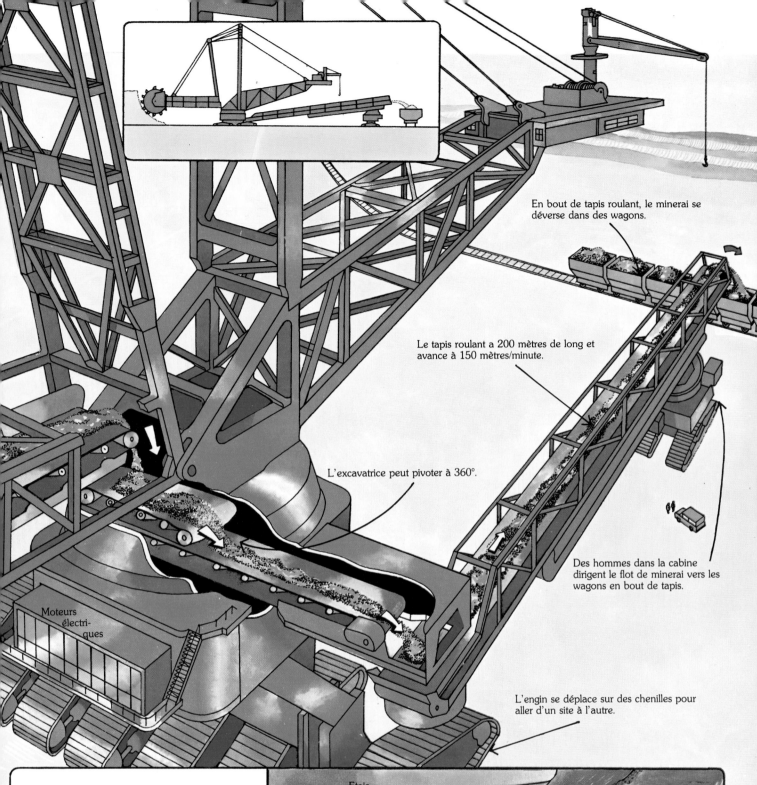

En bout de tapis roulant, le minerai se déverse dans des wagons.

Le tapis roulant a 200 mètres de long et avance à 150 mètres/minute.

L'excavatrice peut pivoter à 360°.

Des hommes dans la cabine dirigent le flot de minerai vers les wagons en bout de tapis.

Moteurs électriques

L'engin se déplace sur des chenilles pour aller d'un site à l'autre.

Excavatrice de fond
Un moteur électrique fait tourner très rapidement le tambour de l'excavatrice. En avançant, les dents grignotent le charbon. La machine avance le long de rails. Les mineurs installent des étais grâce à des leviers, au fur et à mesure de l'avancement, pour empêcher le plafond de s'effondrer.

Etais

Dents

Front de taille

Moteur

Tambour

Chaîne

Forages sous-marins

Sur cette plate-forme pétrolière, les hommes forent pour trouver du pétrole sous la mer. Des recherches préalables leur ont indiqué où creuser.

A terre, deux différents types de plates-formes sont nécessaires. Quand la plate-forme de forage a trouvé du pétrole, on la remplace par une plate-forme de pompage.

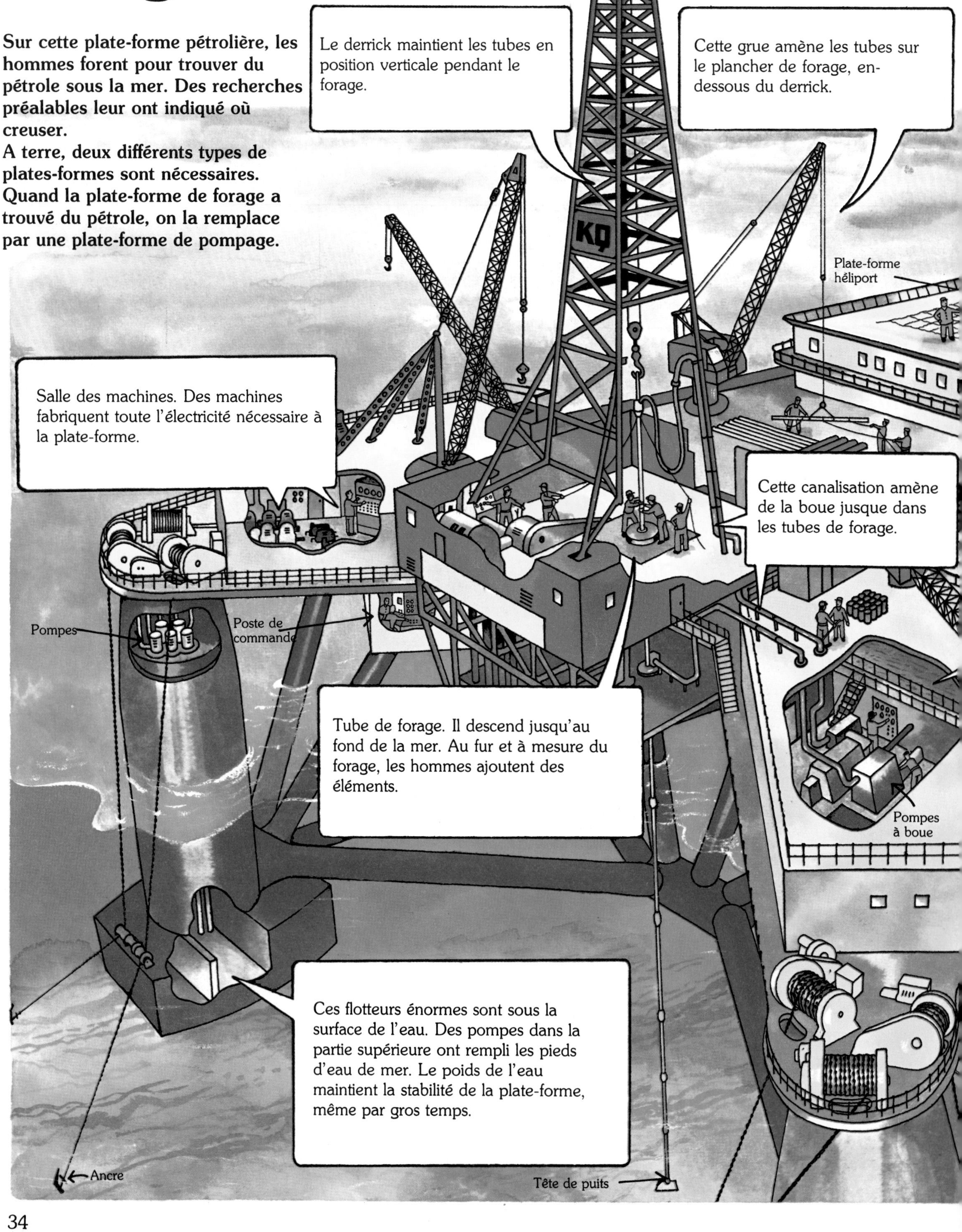

Le derrick maintient les tubes en position verticale pendant le forage.

Cette grue amène les tubes sur le plancher de forage, en-dessous du derrick.

Plate-forme héliport

Salle des machines. Des machines fabriquent toute l'électricité nécessaire à la plate-forme.

Cette canalisation amène de la boue jusque dans les tubes de forage.

Pompes

Poste de commande

Tube de forage. Il descend jusqu'au fond de la mer. Au fur et à mesure du forage, les hommes ajoutent des éléments.

Pompes à boue

Ces flotteurs énormes sont sous la surface de l'eau. Des pompes dans la partie supérieure ont rempli les pieds d'eau de mer. Le poids de l'eau maintient la stabilité de la plate-forme, même par gros temps.

Ancre

Tête de puits

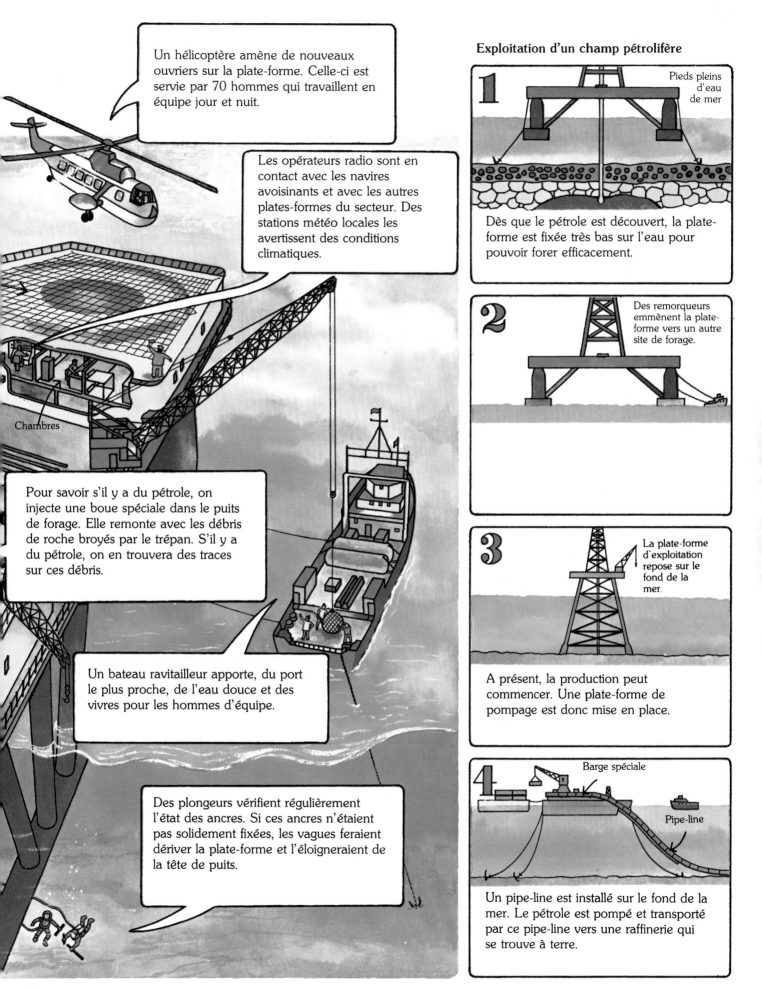

Un hélicoptère amène de nouveaux ouvriers sur la plate-forme. Celle-ci est servie par 70 hommes qui travaillent en équipe jour et nuit.

Les opérateurs radio sont en contact avec les navires avoisinants et avec les autres plates-formes du secteur. Des stations météo locales les avertissent des conditions climatiques.

Chambres

Pour savoir s'il y a du pétrole, on injecte une boue spéciale dans le puits de forage. Elle remonte avec les débris de roche broyés par le trépan. S'il y a du pétrole, on en trouvera des traces sur ces débris.

Un bateau ravitailleur apporte, du port le plus proche, de l'eau douce et des vivres pour les hommes d'équipe.

Des plongeurs vérifient régulièrement l'état des ancres. Si ces ancres n'étaient pas solidement fixées, les vagues feraient dériver la plate-forme et l'éloigneraient de la tête de puits.

Exploitation d'un champ pétrolifère

1 Pieds pleins d'eau de mer

Dès que le pétrole est découvert, la plate-forme est fixée très bas sur l'eau pour pouvoir forer efficacement.

2 Des remorqueurs emmènent la plate-forme vers un autre site de forage.

3 La plate-forme d'exploitation repose sur le fond de la mer.

A présent, la production peut commencer. Une plate-forme de pompage est donc mise en place.

4 Barge spéciale

Pipe-line

Un pipe-line est installé sur le fond de la mer. Le pétrole est pompé et transporté par ce pipe-line vers une raffinerie qui se trouve à terre.

35

Machines agricoles

Les agriculteurs utilisent un grand nombre de machines pour travailler la terre, planter les graines et moissonner.

En bas de page, vous découvrirez les opérations nécessaires à la récolte du blé.

Tracteurs et moissonneuses-batteuses ont des moteurs diesels. Voyez page 45 comment fonctionnent ces moteurs.

Moissonneuse-batteuse

Cette machine peut récolter différents types de céréales comme le blé, le riz ou le maïs. Elle moissonne puis sépare le grain de la paille. Le moteur diesel à côté du conducteur actionne tous les mécanismes de la machine.

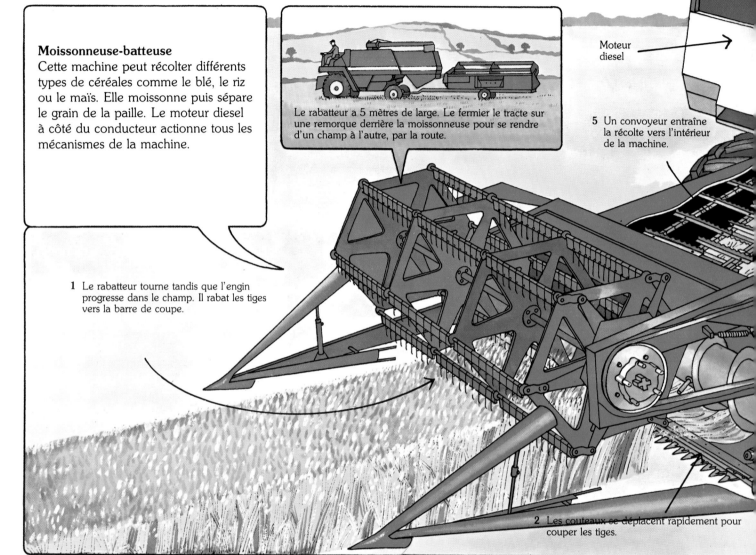

Le rabatteur a 5 mètres de large. Le fermier le tracte sur une remorque derrière la moissonneuse pour se rendre d'un champ à l'autre, par la route.

Moteur diesel

5 Un convoyeur entraîne la récolte vers l'intérieur de la machine.

1 Le rabatteur tourne tandis que l'engin progresse dans le champ. Il rabat les tiges vers la barre de coupe.

2 Les couteaux se déplacent rapidement pour couper les tiges.

1 Labourage

En hiver et au printemps, les fermiers utilisent des charrues pour ouvrir le sol. Les lames retournent la terre en sillons parallèles.

2 Hersage

Les grosses mottes de terre sont brisées en petits morceaux. Le sol est désormais nivelé et prêt à recevoir les graines.

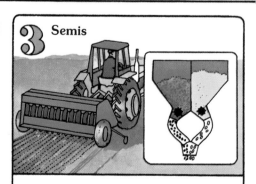

3 Semis

Cette caisse, ou trémie, contient le grain et l'engrais. Pendant que le tracteur avance, chaque semoir dépose une rangée de graines.

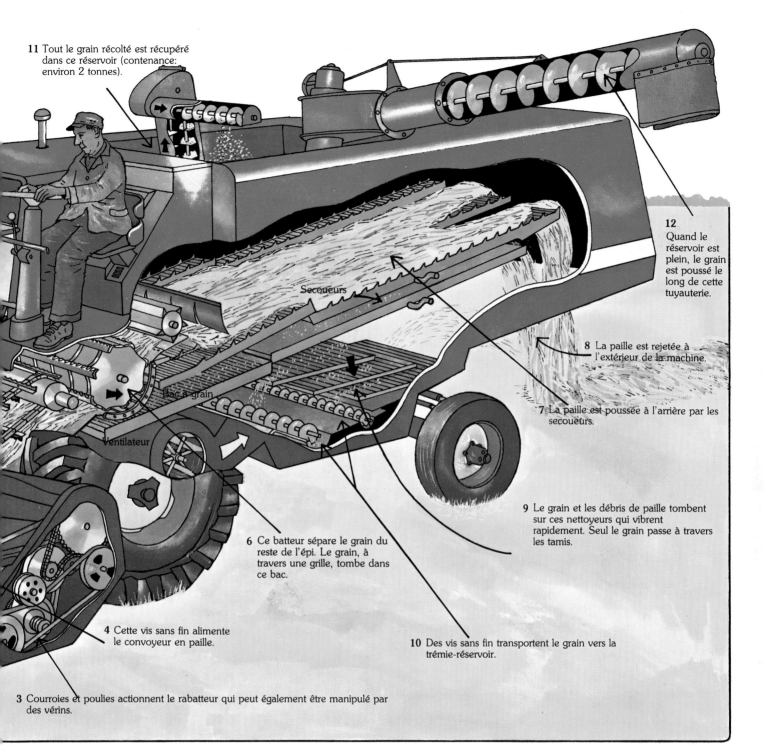

11 Tout le grain récolté est récupéré dans ce réservoir (contenance: environ 2 tonnes).

Secoueurs

Bac à grain

Ventilateur

12 Quand le réservoir est plein, le grain est poussé le long de cette tuyauterie.

8 La paille est rejetée à l'extérieur de la machine.

7 La paille est poussée à l'arrière par les secoueurs.

9 Le grain et les débris de paille tombent sur ces nettoyeurs qui vibrent rapidement. Seul le grain passe à travers les tamis.

6 Ce batteur sépare le grain du reste de l'épi. Le grain, à travers une grille, tombe dans ce bac.

10 Des vis sans fin transportent le grain vers la trémie-réservoir.

4 Cette vis sans fin alimente le convoyeur en paille.

3 Courroies et poulies actionnent le rabatteur qui peut également être manipulé par des vérins.

4 **Pulvérisation**

Le fermier pulvérise des produits chimiques sur les céréales pour éliminer les insectes et les plantes parasites.

5 **Mise en bottes**

Après la moisson, des machines rassemblent la paille et la pressent en bottes ficelées.

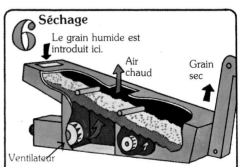

6 **Séchage**

Le grain humide est introduit ici.

Air chaud

Grain sec

Ventilateur

Le grain humide est transféré de la moissonneuse-batteuse dans cette machine. Le grain y est séché à l'air chaud.

Machines de laiterie

Cette laiterie moderne permet de traire les vaches rapidement et presque sans intervention humaine. Un moteur électrique fait tourner lentement toute la plate-forme de traite. En bas de page, vous découvrirez comment fonctionne une telle laiterie rotative. En page 45, vous apprendrez comment fonctionne un moteur électrique.

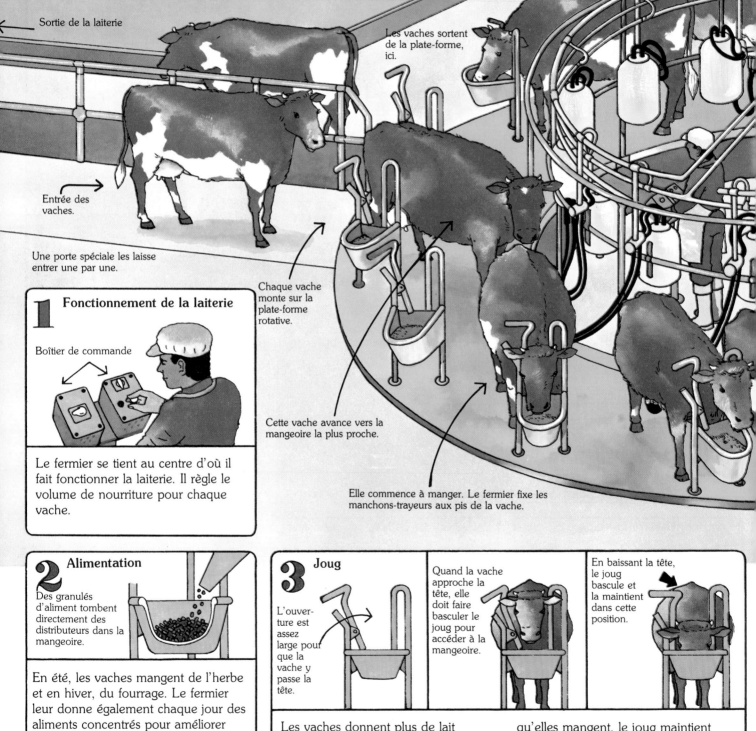

Quand les vaches ont fini de donner leur lait, le fermier débranche les manchons-trayons.

← Sortie de la laiterie

Les vaches sortent de la plate-forme, ici.

Entrée des vaches.

Une porte spéciale les laisse entrer une par une.

Chaque vache monte sur la plate-forme rotative.

Cette vache avance vers la mangeoire la plus proche.

Elle commence à manger. Le fermier fixe les manchons-trayeurs aux pis de la vache.

1 Fonctionnement de la laiterie

Boîtier de commande

Le fermier se tient au centre d'où il fait fonctionner la laiterie. Il règle le volume de nourriture pour chaque vache.

2 Alimentation

Des granulés d'aliment tombent directement des distributeurs dans la mangeoire.

En été, les vaches mangent de l'herbe et en hiver, du fourrage. Le fermier leur donne également chaque jour des aliments concentrés pour améliorer leur production de lait.

3 Joug

L'ouverture est assez large pour que la vache y passe la tête.

Quand la vache approche la tête, elle doit faire basculer le joug pour accéder à la mangeoire.

En baissant la tête, le joug bascule et la maintient dans cette position.

Les vaches donnent plus de lait quand elles sont calmes. Pendant qu'elles mangent, le joug maintient fermement l'animal par le garrot.

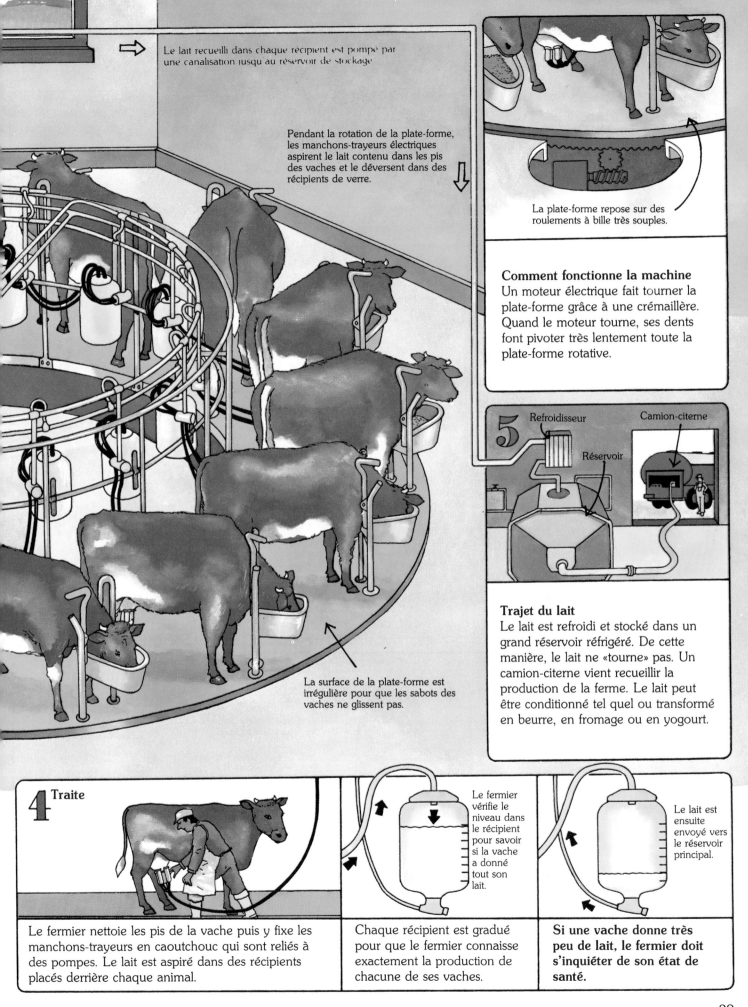

Le lait recueilli dans chaque récipient est pompé par une canalisation jusqu'au réservoir de stockage

Pendant la rotation de la plate-forme, les manchons-trayeurs électriques aspirent le lait contenu dans les pis des vaches et le déversent dans des récipients de verre.

La plate-forme repose sur des roulements à bille très souples.

Comment fonctionne la machine
Un moteur électrique fait tourner la plate-forme grâce à une crémaillère. Quand le moteur tourne, ses dents font pivoter très lentement toute la plate-forme rotative.

Refroidisseur   Camion-citerne

Réservoir

5

Trajet du lait
Le lait est refroidi et stocké dans un grand réservoir réfrigéré. De cette manière, le lait ne «tourne» pas. Un camion-citerne vient recueillir la production de la ferme. Le lait peut être conditionné tel quel ou transformé en beurre, en fromage ou en yogourt.

La surface de la plate-forme est irrégulière pour que les sabots des vaches ne glissent pas.

4 Traite

Le fermier vérifie le niveau dans le récipient pour savoir si la vache a donné tout son lait.

Le lait est ensuite envoyé vers le réservoir principal.

Le fermier nettoie les pis de la vache puis y fixe les manchons-trayeurs en caoutchouc qui sont reliés à des pompes. Le lait est aspiré dans des récipients placés derrière chaque animal.

Chaque récipient est gradué pour que le fermier connaisse exactement la production de chacune de ses vaches.

Si une vache donne très peu de lait, le fermier doit s'inquiéter de son état de santé.

Appareils domestiques

Télévision

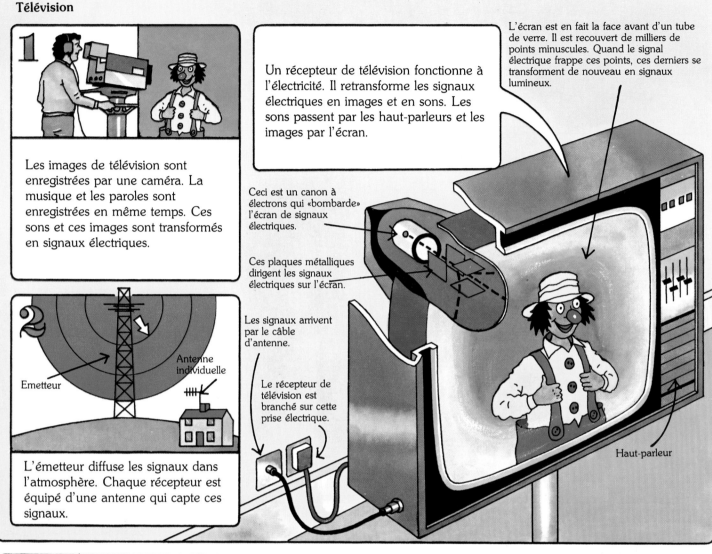

Les images de télévision sont enregistrées par une caméra. La musique et les paroles sont enregistrées en même temps. Ces sons et ces images sont transformés en signaux électriques.

Un récepteur de télévision fonctionne à l'électricité. Il retransforme les signaux électriques en images et en sons. Les sons passent par les haut-parleurs et les images par l'écran.

L'écran est en fait la face avant d'un tube de verre. Il est recouvert de milliers de points minuscules. Quand le signal électrique frappe ces points, ces derniers se transforment de nouveau en signaux lumineux.

Ceci est un canon à électrons qui «bombarde» l'écran de signaux électriques.

Ces plaques métalliques dirigent les signaux électriques sur l'écran.

Les signaux arrivent par le câble d'antenne.

Le récepteur de télévision est branché sur cette prise électrique.

Emetteur

Antenne individuelle

L'émetteur diffuse les signaux dans l'atmosphère. Chaque récepteur est équipé d'une antenne qui capte ces signaux.

Haut-parleur

Téléphone

Quand on parle, les mots forment des ondes dans l'air. Quand on parle dans un téléphone, le microphone transforme ces ondes en signaux électriques. Grâce à l'électricité, ces signaux sont transportés le long du câble téléphonique. L'écouteur, à l'autre extrémité, retransforme ces signaux en ondes sonores.

Ecouteur

Membrane de l'écouteur

Ces boutons interrompent ou rétablissent la communication.

L'électricité transforme les ondes sonores en signaux électriques qui sont transmis aux fils.

Les signaux électriques arrivent par les fils de l'écouteur. Ils font vibrer la membrane métallique, ce qui les transforme en ondes sonores, donc en paroles.

L'électricité parcourt le fil du téléphone.

Les paroles que vous prononcez font vibrer la membrane métallique du microphone.

Embouchure

Réfrigérateur

L'intérieur d'un réfrigérateur est très froid car la chaleur qui s'y trouve est extraite et rejetée à l'extérieur. Cela se fait grâce à un liquide spécial qui est pompé dans les canalisations à l'arrière de l'appareil. Suivez l'ordre des numéros ci-dessous pour comprendre les modifications de ce liquide durant son trajet.

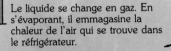 Le liquide se change en gaz. En s'évaporant, il emmagasine la chaleur de l'air qui se trouve dans le réfrigérateur.

2 Cet appareil, appelé compresseur, fait circuler le gaz dans les canalisations. Il le comprime et l'envoie dans le condenseur.

3 Ce petit moteur électrique fait marcher le compresseur. Voyez page 45 comment fonctionne un moteur électrique.

4 Le gaz se retransforme en liquide à l'intérieur du condenseur.

5 Le liquide peut de nouveau circuler dans les canalisations.

Les parois et la porte du réfrigérateur sont particulièrement épaisses pour conserver à l'intérieur une température basse

Chasse d'eau

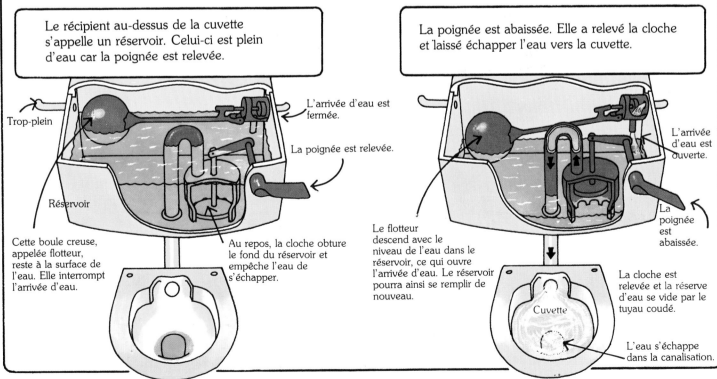

Le récipient au-dessus de la cuvette s'appelle un réservoir. Celui-ci est plein d'eau car la poignée est relevée.

La poignée est abaissée. Elle a relevé la cloche et laissé échapper l'eau vers la cuvette.

Trop-plein

L'arrivée d'eau est fermée.

La poignée est relevée.

Réservoir

Cette boule creuse, appelée flotteur, reste à la surface de l'eau. Elle interrompt l'arrivée d'eau.

Au repos, la cloche obture le fond du réservoir et empêche l'eau de s'échapper.

Le flotteur descend avec le niveau de l'eau dans le réservoir, ce qui ouvre l'arrivée d'eau. Le réservoir pourra ainsi se remplir de nouveau.

L'arrivée d'eau est ouverte.

La poignée est abaissée.

La cloche est relevée et la réserve d'eau se vide par le tuyau coudé.

Cuvette

L'eau s'échappe dans la canalisation.

41

Comment marchent les moteurs

Moteurs à réaction

La plupart des avions volent grâce à des moteurs à réaction. Ils utilisent un carburant spécial appelé kérosène. En brûlant, le kérosène produit des gaz chauds qui sont expulsés à l'arrière de la turbine. Ces gaz propulsent l'avion. Voici trois différents types de moteurs à réaction.

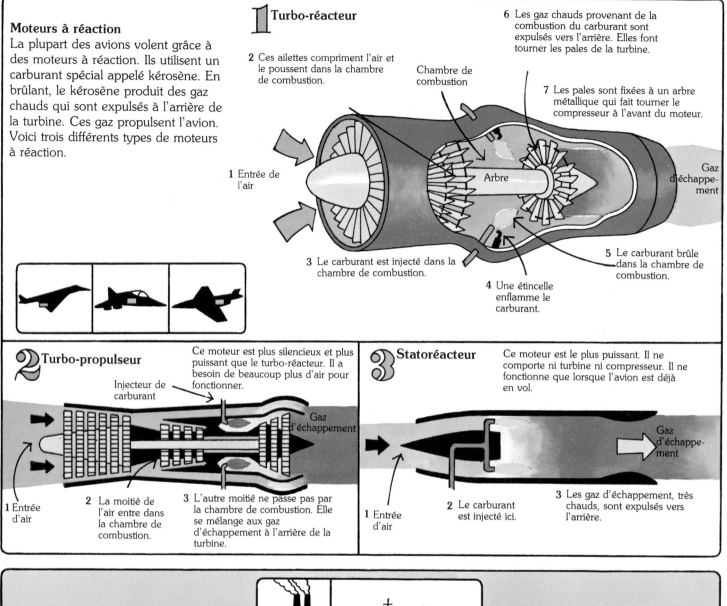

1 Turbo-réacteur

2 Ces ailettes compriment l'air et le poussent dans la chambre de combustion.

Chambre de combustion

1 Entrée de l'air

Arbre

3 Le carburant est injecté dans la chambre de combustion.

4 Une étincelle enflamme le carburant.

5 Le carburant brûle dans la chambre de combustion.

6 Les gaz chauds provenant de la combustion du carburant sont expulsés vers l'arrière. Elles font tourner les pales de la turbine.

7 Les pales sont fixées à un arbre métallique qui fait tourner le compresseur à l'avant du moteur.

Gaz d'échappement

2 Turbo-propulseur

Ce moteur est plus silencieux et plus puissant que le turbo-réacteur. Il a besoin de beaucoup plus d'air pour fonctionner.

Injecteur de carburant

Gaz d'échappement

1 Entrée d'air

2 La moitié de l'air entre dans la chambre de combustion.

3 L'autre moitié ne passe pas par la chambre de combustion. Elle se mélange aux gaz d'échappement à l'arrière de la turbine.

3 Statoréacteur

Ce moteur est le plus puissant. Il ne comporte ni turbine ni compresseur. Il ne fonctionne que lorsque l'avion est déjà en vol.

1 Entrée d'air

2 Le carburant est injecté ici.

3 Les gaz d'échappement, très chauds, sont expulsés vers l'arrière.

Gaz d'échappement

Ces moteurs sont utilisés pour actionner les hélices des navires et pour produire de l'électricité dans les centrales. Des ailettes en couronne sont fixées sur un arbre de transmission à l'intérieur d'une turbine étanche. La vapeur de la chaudière est injectée dans cette turbine, ce qui fait tourner les pales très rapidement. En traversant la turbine, la vapeur se refroidit et se dilate. C'est pourquoi le diamètre des couronnes successives est de plus en plus important.

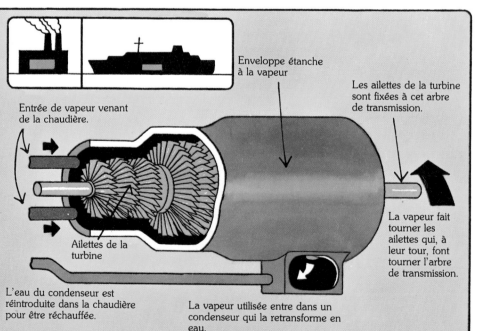

Entrée de vapeur venant de la chaudière.

Enveloppe étanche à la vapeur

Les ailettes de la turbine sont fixées à cet arbre de transmission.

Ailettes de la turbine

La vapeur fait tourner les ailettes qui, à leur tour, font tourner l'arbre de transmission.

L'eau du condenseur est réintroduite dans la chaudière pour être réchauffée.

La vapeur utilisée entre dans un condenseur qui la retransforme en eau.

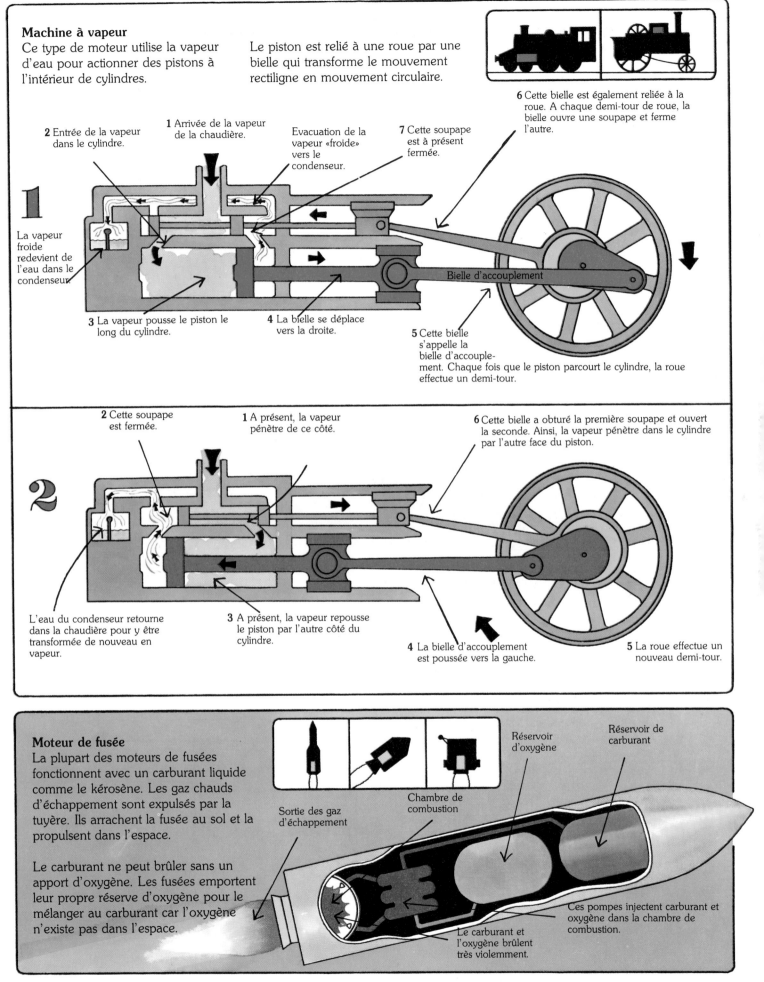

Machine à vapeur

Ce type de moteur utilise la vapeur d'eau pour actionner des pistons à l'intérieur de cylindres.

Le piston est relié à une roue par une bielle qui transforme le mouvement rectiligne en mouvement circulaire.

6 Cette bielle est également reliée à la roue. A chaque demi-tour de roue, la bielle ouvre une soupape et ferme l'autre.

2 Entrée de la vapeur dans le cylindre.

1 Arrivée de la vapeur de la chaudière.

Evacuation de la vapeur «froide» vers le condenseur.

7 Cette soupape est à présent fermée.

1

La vapeur froide redevient de l'eau dans le condenseur.

Bielle d'accouplement

3 La vapeur pousse le piston le long du cylindre.

4 La bielle se déplace vers la droite.

5 Cette bielle s'appelle la bielle d'accouplement. Chaque fois que le piston parcourt le cylindre, la roue effectue un demi-tour.

2 Cette soupape est fermée.

1 A présent, la vapeur pénètre de ce côté.

6 Cette bielle a obturé la première soupape et ouvert la seconde. Ainsi, la vapeur pénètre dans le cylindre par l'autre face du piston.

2

L'eau du condenseur retourne dans la chaudière pour y être transformée de nouveau en vapeur.

3 A présent, la vapeur repousse le piston par l'autre côté du cylindre.

4 La bielle d'accouplement est poussée vers la gauche.

5 La roue effectue un nouveau demi-tour.

Moteur de fusée

La plupart des moteurs de fusées fonctionnent avec un carburant liquide comme le kérosène. Les gaz chauds d'échappement sont expulsés par la tuyère. Ils arrachent la fusée au sol et la propulsent dans l'espace.

Le carburant ne peut brûler sans un apport d'oxygène. Les fusées emportent leur propre réserve d'oxygène pour le mélanger au carburant car l'oxygène n'existe pas dans l'espace.

Réservoir d'oxygène

Réservoir de carburant

Chambre de combustion

Sortie des gaz d'échappement

Ces pompes injectent carburant et oxygène dans la chambre de combustion.

Le carburant et l'oxygène brûlent très violemment.

43

Comment marchent les moteurs

Moteur à essence

Ce type de moteur à quatre cylindres fait marcher la plupart des automobiles. Chaque cylindre comporte un piston qui est relié au vilebrequin.

Les pistons montent et descendent très rapidement à l'intérieur des cylindres. Leur rotation successive fait tourner le vilebrequin et l'arbre à cames.

En bas de page, vous comprendrez ce qui se passe quand les vapeurs d'essence s'enflamment et comment les gaz d'échappement actionnent les pistons.

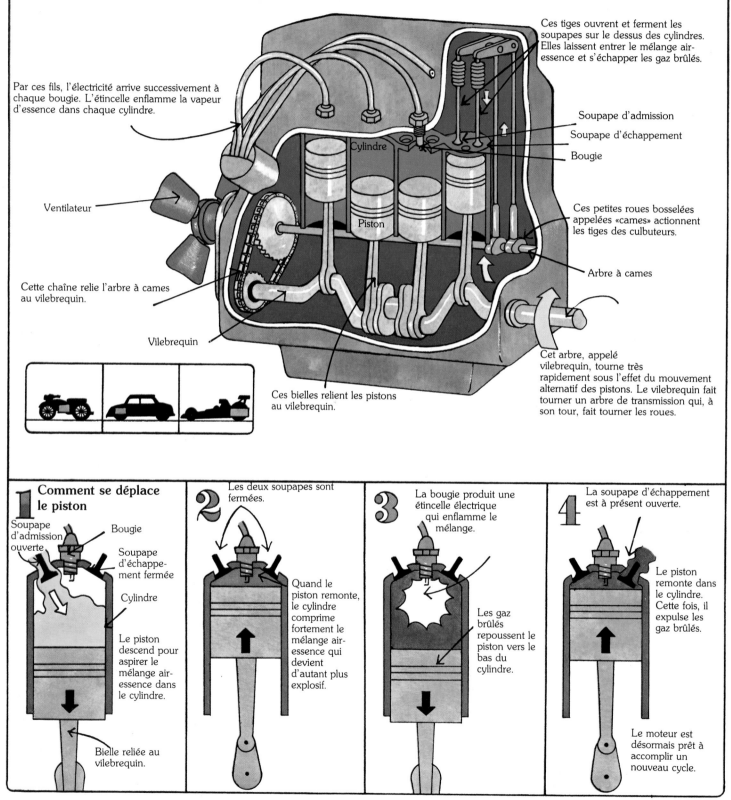

Par ces fils, l'électricité arrive successivement à chaque bougie. L'étincelle enflamme la vapeur d'essence dans chaque cylindre.

Ces tiges ouvrent et ferment les soupapes sur le dessus des cylindres. Elles laissent entrer le mélange air-essence et s'échapper les gaz brûlés.

Soupape d'admission

Soupape d'échappement

Bougie

Ventilateur

Cylindre

Piston

Ces petites roues bosselées appelées «cames» actionnent les tiges des culbuteurs.

Arbre à cames

Cette chaîne relie l'arbre à cames au vilebrequin.

Vilebrequin

Ces bielles relient les pistons au vilebrequin.

Cet arbre, appelé vilebrequin, tourne très rapidement sous l'effet du mouvement alternatif des pistons. Le vilebrequin fait tourner un arbre de transmission qui, à son tour, fait tourner les roues.

---

1 **Comment se déplace le piston**

Soupape d'admission ouverte

Bougie

Soupape d'échappement fermée

Cylindre

Le piston descend pour aspirer le mélange air-essence dans le cylindre.

Bielle reliée au vilebrequin.

2 Les deux soupapes sont fermées.

Quand le piston remonte, le cylindre comprime fortement le mélange air-essence qui devient d'autant plus explosif.

3 La bougie produit une étincelle électrique qui enflamme le mélange.

Les gaz brûlés repoussent le piston vers le bas du cylindre.

4 La soupape d'échappement est à présent ouverte.

Le piston remonte dans le cylindre. Cette fois, il expulse les gaz brûlés.

Le moteur est désormais prêt à accomplir un nouveau cycle.

Moteur électrique

Un moteur électrique est constitué d'un aimant fixe et d'un noyau en fer entouré d'un bobinage monté sur un axe. Quand on allume le moteur, le courant électrique parcourt le bobinage.

Le noyau en fer devient un électro-aimant qui tourne sur lui-même car les pôles de l'aimant fixe attirent et repoussent les pôles de l'électro-aimant.

Quand l'électro-aimant a effectué un demi-tour, le courant circule en sens inverse. Cela inverse le sens des pôles. Ce mouvement continuel fait tourner l'axe sur lui-même.

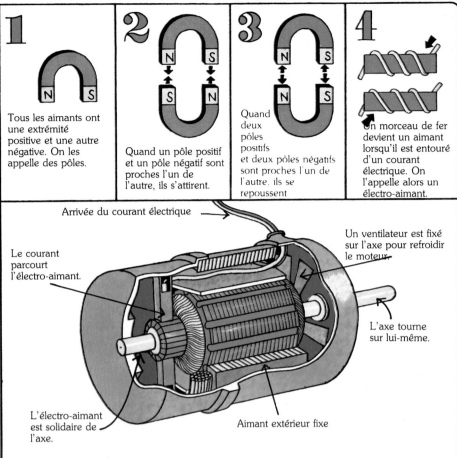

1 Tous les aimants ont une extrémité positive et une autre négative. On les appelle des pôles.

2 Quand un pôle positif et un pôle négatif sont proches l'un de l'autre, ils s'attirent.

3 Quand deux pôles positifs et deux pôles négatifs sont proches l'un de l'autre, ils se repoussent

4 Un morceau de fer devient un aimant lorsqu'il est entouré d'un courant électrique. On l'appelle alors un électro-aimant.

Arrivée du courant électrique

Le courant parcourt l'électro-aimant.

Un ventilateur est fixé sur l'axe pour refroidir le moteur.

L'axe tourne sur lui-même.

L'électro-aimant est solidaire de l'axe.

Aimant extérieur fixe

Moteur diesel

Un moteur diesel comprend des pistons qui montent et descendent dans les cylindres exactement comme dans un moteur à essence mais il ne nécessite pas d'étincelle pour enflammer le mélange. Le carburant utilisé est spécial; c'est du gazole.

En montant, les pistons compriment l'air qui s'échauffe fortement. Puis une pompe injecte le gazole dans l'air chaud et le mélange s'enflamme. Les gaz brûlés repoussent les pistons vers le bas du cylindre.

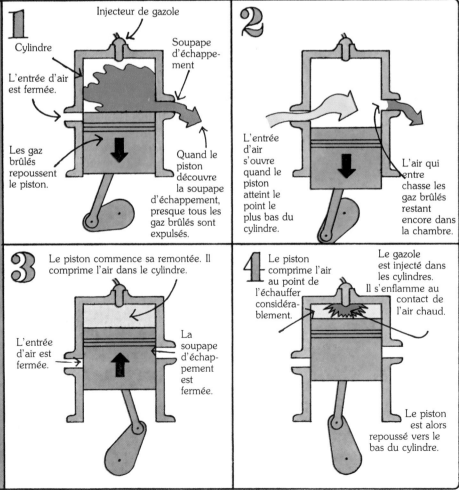

1 Injecteur de gazole
Cylindre
Soupape d'échappement
L'entrée d'air est fermée.
Les gaz brûlés repoussent le piston.
Quand le piston découvre la soupape d'échappement, presque tous les gaz brûlés sont expulsés.

2 L'entrée d'air s'ouvre quand le piston atteint le point le plus bas du cylindre.
L'air qui entre chasse les gaz brûlés restant encore dans la chambre.

3 Le piston commence sa remontée. Il comprime l'air dans le cylindre.
L'entrée d'air est fermée.
La soupape d'échappement est fermée.

4 Le piston comprime l'air au point de l'échauffer considérablement.
Le gazole est injecté dans les cylindres. Il s'enflamme au contact de l'air chaud.
Le piston est alors repoussé vers le bas du cylindre.

Index

Index des illustrations

Les numéros vous indiquent les pages où vous pourrez trouver ces différentes machines.

Avions et vaisseaux spatiaux.

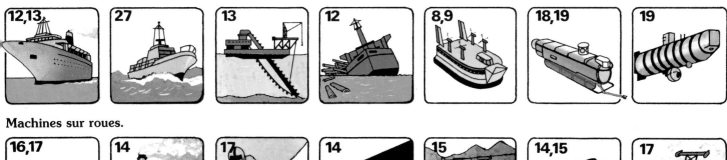

Bateaux et sous-marins.

Machines sur roues.

Machines de guerre.

Machines pour travailler.

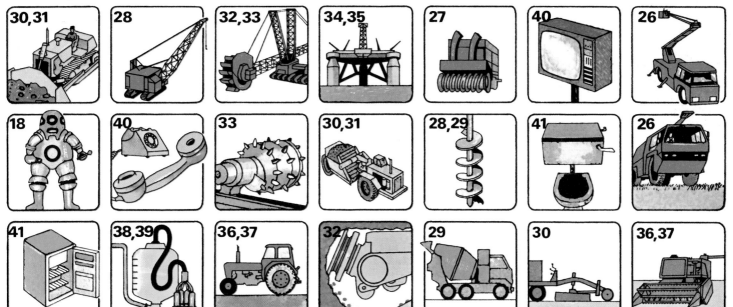